VENDRE
EN
ANGLAIS

Les langues pour tous

Collection dirigée par Jean-Pierre Berman, Michel Marcheteau et Michel Savio

ANGLAIS

Pour débuter (ou tout revoir) : • **40 leçons**
Pour mieux s'exprimer et mieux comprendre : • **Communiquer**
Pour se perfectionner et connaître l'environnement :
- **Pratiquer l'anglais** • **Pratiquer l'américain**

Pour évaluer et améliorer votre niveau :
- **Score** (200 tests d'anglais)

Pour aborder la langue spécialisée :
- **L'anglais économique & commercial** (20 dossiers)
- **Vendre en anglais**
- **La correspondance commerciale (GB/US)**
- **Dictionnaire économique, commercial et financier**
- **Dictionnaire de l'anglais de l'informatique**

Pour s'aider d'ouvrages de référence :
- **Dictionnaire d'anglais d'aujourd'hui**
- **Grammaire de l'anglais d'aujourd'hui**
- **Correspondance pratique pour tous**
- **L'anglais sans fautes**
- **La prononciation de l'anglais**

Pour prendre contact avec des œuvres en version originale : • **Série bilingue :**

GB | US

→ **Niveaux :** □ facile (1er cycle) □□ moyen (2e cycle) □□□ avancé

- **Anglais par les chansons** (GB/US) □
- **Bilingue anglais scientifique** (US/GB) □□□
- **Nouvelles** (US/GB) I, II □□
- **Grands maîtres de l'insolite** (US/GB)

Dickens (Ch.) : Contes □□
Doyle (C.) : Nouvelles I, II, III, IV □
Greene (G.) : Nouvelles □□
Jerome (K.J.) : Trois hommes dans un bateau □□
Kipling (R.) : • Nouvelles □□ • Le livre de la jungle □
Lawrence (D.H.) : Nouvelles □□□
Mansfield (K.) : • L'Aloès □□□ • La Garden Party (etc.) □□□
Maugham (S.) : Nouvelles I □□
Stevenson (R.L.) : Dr Jekyll et M. Hyde □□
Wilde (O.) : • Nouvelles □ • Il importe d'être constant □□

L'Amérique à travers sa presse □□□
Bellow (S.) : Nouvelles □□□
Bradbury (R.) : Nouvelles □□
Fitzgerald (S.) : Le diamant gros comme le Ritz □□
Highsmith (P.) : Nouvelles I, II, III, IV □□
Hitchcock (A.) : Nouvelles □□
James (H.) : Le Tour d'écrou □□□
King (S.) : Nouvelles (à par.) □□
London (J.) : Nouvelles □□
Nouvelles classiques □□
Twain (M.) : Nouvelles □□

□ Pour les « Juniors » (à partir de 8 ans) : • **Cat you speak English ?**

Autres langues disponibles dans les séries de la collection **Les langues pour tous**

Allemand - Arabe - Espagnol - Français - Grec - Italien
Latin - Néerlandais - Portugais - Russe

VENDRE
EN
ANGLAIS

par

Crispin Michael Geoghegan
BA (hons), MA (Thesis), MITD, MBIM
Directeur de marketing, Dorset Institute,
Examinateur à l'École Supérieure de Commerce de Paris

et

Jacqueline Gonthier
Traductrice au Central Office of
Information, London

PRESSES POCKET

SOMMAIRE

CONTENTS

PRÉSENTATION

Cet ouvrage vient en complément de la *Correspondance commerciale en anglais* déjà parue dans la série **Les Langues Pour Tous.**

L'approche est la même, à savoir pragmatique et autodidactique ; cette méthode permet aux hommes de terrain, peu soucieux de belles phrases et de grandes théories, de communiquer en anglais pour les besoins de leur travail.

Tout en conservant une petite section traditionnelle de lettres commerciales, l'accent a été mis sur l'aspect parlé de la communication qui, dans le monde des affaires d'aujourd'hui, prend une place de plus en plus importante. Conversations téléphoniques, dialogues entre représentants, vendeurs, exposants et clients ou acheteurs potentiels, ont donc été introduits dans la trame classique et traitent des situations auxquelles un commercial formé aux techniques de vente moderne se trouve confronté tous les jours.

VENDRE comporte 15 dossiers

■ Les dossiers I à XIII sont constitués ainsi :

- Une page d'expressions parlées et écrites avec en regard leur équivalent en anglais,
- Une page de dialogue en anglais avec en regard la traduction,
- Deux pages de notes et commentaires, l'une sur les expressions, l'autre sur le dialogue,
- Une page de lettre(s) en anglais ou un second dialogue chaque fois que c'est utile, avec en regard la traduction en français,
- Une page de vocabulaire ou d'expressions complémentaires,
- Une page d'exercices avec corrigés qui reprennent le vocabulaire et la grammaire étudiés dans le dossier et permettent de vérifier l'acquisition des connaissances.

Chaque dossier traite d'un thème particulier : offre de produits, acte de vente, foires et expositions, etc., et peut s'étudier en unité isolée. L'autodidacte plus ambitieux ou disposant de plus de temps pourra néanmoins étudier l'ensemble des chapitres et acquérir ainsi les connaissances de base pour mener à bien les activités liées à la vente d'un produit ou d'un service.

■ **Les dossiers XIV et XV**

- Les principes de présentation d'une lettre commerciale.
- Les mesures (poids, volumes, tailles, etc.).

■ **Un glossaire** anglais/français et français/anglais complète l'ouvrage, reprenant les mots et abréviations les plus utiles.

Vendre est le résultat d'une analyse des situations et des expressions les plus fréquemment rencontrées dans l'activité commerciale ; l'ouvrage peut s'étudier en groupe de formation mais les dialogues et les conversations téléphoniques et les phrases supplémentaires sont conçues pour servir de référence au commercial qui veut traiter avec un client anglophone. Par exemple, il est possible de se servir de l'ouvrage pour préparer une communication téléphonique en vue d'obtenir un rendez-vous, ou même de se préparer à une exposition à l'étranger.

Vendre est à la fois un manuel d'études et un outil de travail pour tous ceux qui vendent à l'étranger ou aux étrangers.

I ▪ Offre de produit ou de service

A1 EXPRESSIONS

■ Parlées

1. Je voudrais parler à ...
2. C'est de la part de qui ?
3. J'essaie de vous mettre en communication...
4. Je vous mets en communication tout de suite.
5. Je suis désolé mais M. ... est en ligne, voulez-vous patienter ?
6. M. ... ne sera pas là avant 16 h, est-ce que je peux vous passer sa secrétaire ?
7. Pourriez-vous me dire de quoi il s'agit s'il vous plaît ?
8. M. ... est toujours en ligne, voulez-vous patienter encore ?
9. M. ... n'est pas à son bureau / est en réunion, est-ce que je peux prendre un message ?
10. Est-ce que vous voulez laisser un message ?
11. C'est à M. ... en personne que vous devez parler ou est-ce qu'il y a quelqu'un dans le service qui pourrait vous aider ?
12. Est-ce que vous pourriez me dire à quel moment je pourrais trouver M. ... ?

■ Écrites

13. Nous avons une gamme très complète de ...
14. Nous pouvons vous donner des conditions très avantageuses.
15. Tous les articles figurant dans notre catalogue sont en magasin et peuvent être livrés (immédiatement) (ou : sont disponibles).
16. C'est avec plaisir que notre représentant vous fera une démonstration gratuite.
17. C'est avec plaisir que notre représentant discutera avec vous des avantages de notre service.
18. Ce produit que nous venons de lancer ne peut que retenir votre attention.
19. Nous espérons que votre intérêt sera éveillé par le catalogue ci-joint.

A2 PHRASES

■ Spoken

1. I'd like [1] to speak to...
2. Who is calling please?
3. I'm [2] trying to connect you.
4. I'm putting you through [3] now.
5. I'm sorry, Mr ... is engaged, will you hold?
6. Mr ... will [4] be out [5] until 4 pm, can I put you through to his secretary?
7. Could you tell me what it's [6] in connection with please?
8. Mr ... is still [7] engaged, do you still want to hold?
9. Mr ... is out of his office / in conference, can I take a message?
10. Would you like to leave a message?
11. Do you need to speak to Mr ... personally, is there anyone [8] else in that department who could help you?
12. Could you tell me which [9] would be a good time to find Mr ... in?

■ Written

13. We have a very complete range of...
14. We are able to quote very attractive terms.
15. All the items in our catalogue can be delivered [10] from stock.
16. Our representative will be happy to give you a free [11] demonstration.
17. Our representative will be happy to discuss the advantages of our service with you.
18. Our new product is sure to interest you.
19. We hope that you will find the enclosed catalogue of interest.

B1 TELEPHONE DIALOGUE

R. Ltd = Rexel S. = Salesman Mr G. = Mr Green

(R. Ltd) — Good morning, Rexel Constructions Ltd [1]. How can I help you?

(S.) — Oh, good morning. I'd like to speak [2] to your Purchasing Manager please.

(R. Ltd) — Mr Green? Can you tell me what [3] it's in connection with [4] please?

(S.) — It's about [5] our cleaning systems... er... I think Mr Green will find our discussion very profitable.

(R. Ltd) — Just a moment please, I'm putting you through to Mr Green, the Purchasing Manager...

(Mr G.) — ...Green speaking...

(S.) — Good morning, Mr Green. My name is DeBlieck, Jean DeBlieck. I'm Regional Consultant for Nickelle Cleaning Systems, a new type of high pressure cleaning process [6] for production lines. I will be visiting your area shortly and I wondered whether I could come [7] and present the new system to you?

(Mr G.) — Well... we usually [8] use Hydrojet systems, what makes yours any better?

(S.) — Oh, our revolutionary new system works at higher pressures than conventional systems but has lower running costs. I'm sure you would find a demonstration very interesting.

(Mr G.) — Very well. I must admit I'm not completely satisfied with our present system. I could spare you [9] half an hour, from... er... *(looks at diary)*... 2.15 on the 17th August next. That's during our shutdown so you could give us a demo [10] on our production lines.

(S.) — Thank you very much, Mr Green, I'm sure you'll find the time well spent. I look forward to meeting you [11] then.

(Mr G.) — Yes, yes, goodbye Mr DeBlieck.

B2 DIALOGUE TÉLÉPHONIQUE

Sté R. = Sté Rexel R. = Représentant M.G. = M. Green

(Sté R.) — Bonjour, la société Rexel Constructions à votre service...

(R.) — Bonjour, je voudrais parler au directeur des achats, s'il vous plaît...

(Sté R.) — M. Green ? Oui, c'est à quel sujet ?

(R.) C'est au sujet de nos systèmes de nettoyage... euh... Je crois que notre conversation intéressera beaucoup M. Green.

(Sté R.) — Un instant s'il vous plaît, je vous passe M. Green, le directeur des achats...

(M.G.) — ... Green à l'appareil...

(R.) — Bonjour monsieur, ici DeBlieck, Jean DeBlieck. Je suis représentant régional des systèmes de nettoyage Nickelle, un nouveau procédé de nettoyage sous pression pour les chaînes de production... Je vais bientôt tourner dans votre région ; peut-être pourrais-je venir vous présenter le nouveau système ?

(M.G.) — Eh bien... nous avons l'habitude d'utiliser les systèmes Hydrojet ; en quoi le vôtre est-il supérieur ?

(R.) — Notre nouveau système révolutionnaire fonctionne sous des pressions supérieures à celles des systèmes classiques mais à des coûts moindres...

(M.G.) — Intéressant. Je dois reconnaître que je ne suis pas tout à fait satisfait de notre système actuel. Je pourrais vous consacrer une demi-heure à... *(il regarde son agenda)*... 2 h 15 le 17 août prochain. C'est pendant notre période de fermeture et vous pourriez nous faire une démonstration sur nos chaînes de production.

(R.) — Je vous remercie beaucoup, monsieur, je suis sûr que vous ne regretterez pas le temps passé... Je vous verrai donc à cette date.

(M.G.) — C'est ça, au revoir monsieur.

I ■ Offre de produit ou de service

C1 REMARQUES SUR LES EXPRESSIONS (A1 / A2)

1. **I'd like : 'd** est la forme contractée de **would.**
2. **'m :** notez l'emploi systématique des formes contractées dans le style parlé.
3. **putting you through : to put through** est un exemple de ces nombreux verbes formés d'une base verbale (**put**) suivie d'une postposition (**through**) qui donne le sens du verbe ; ici, *mettre en communication, passer.* Remarquez que l'objet (**you**) se place entre la base verbale et la postpostion.
4. **will :** cet auxiliaire a ici moins la notion de futur que celle de volonté.
5. **out : to be out :** *être sorti* ; à retenir également, **to be in :** *être là* ; **pm :** *post meridiem,* abréviation utilisée pour les heures entre midi et minuit.
6. **what it's :** phrase de style indirect ; l'interrogation portant sur le début de la phrase (**could you tell me**), il n'y a pas inversion verbe-sujet après **what.**
7. **still :** peut être rendu en français par *toujours,* mais il faut garder à l'esprit que dans ce contexte il a le sens d'*encore.*
8. **anyone :** ce pronom indéfini se trouve dans les formes interrogatives (c'est ici le cas) et négatives. Dans les formes affirmatives on aura **someone.**
9. **which :** pronom interrogatif employé lorsque le choix est limité ; **what** pourrait convenir également ici, sans toutefois cete nuance de restriction.
10. **can de delivered :** voix passive employée avec le modal **can** ; **delivered** est le participe passé. **From**, préposition qui indique l'origine.
11. **free :** cet adjectif a deux sens : *gratuit,* comme ici, mais aussi *libre* comme dans la phrase **"I am not free this afternoon"**.

C2 REMARQUES SUR LE DIALOGUE (B1/B2)

1. **Ltd = Limited (liability) ; a private limited company :** *une société à responsabilité limitée.*
2. **I'd like to speak to :** *je voudrais parler à* ; **I'd like to talk to** est une variante possible.
3. **can you tell me what... :** littéralement, *pouvez-vous me dire de quoi...* Phrase de style indirect où **what** perd sa valeur d'interrogatif.
4. **what it's in connection with :** mot à mot, *avec quoi c'est en rapport.* Remarquez le rejet de la préposition **with** en fin de phrase.
5. **it's about :** *c'est au sujet de...* ; formule très employée comme entrée en matière au début d'une conversation. Également utilisée lorsque l'on se réfère à une lettre/un texte ; mot à mot : *cela parle de...*
6. **pressure cleaning process :** *procédé de nettoyage sous pression.* Mot composé ; structure typique de l'anglais technique, souvent difficile à traduire. Un petit truc cependant : commencer toujours par le dernier mot (le nom), et traduire en remontant la phrase.
7. **wondered whether I could come :** mot à mot : *je me suis demandé si je pourrais venir...* Formule de politesse lorsque l'on sollicite une faveur.
8. **usually :** *(avons) l'habitude.* Notez l'emploi du présent simple **use** après cet adverbe.
9. **I could spare you :** *je pourrais vous consacrer* ; **spare**, dans son sens général : *épargner, mettre de côté.*
10. **demo :** *démonstration* ; forme abrégée de **demonstration** ; style parlé seulement.
11. **I look forward to meeting you :** autre formule de politesse qu'il est impossible de traduire littéralement. **To look forward to :** *attendre avec impatience.*

CHILTERN ENGINEERING Ltd

27 May 199-

Dear Mr Bloor,

Can you be sure that your company is getting the best quality and service available?

Did you know that over 1,000 companies in your country have already made considerable savings by using our products?

"ARC Système" can provide the answer to your search for efficiency and improved profits. The brochure I am enclosing shows just how sophisticated our systems are.

I will be visiting your area soon in order to demonstrate the advantages of the new systems to you personally. In the meantime, if you would like to learn more about us don't hesitate to ring me or one of our team on Freephone 0800 626 481.

I look forward to helping you.

Yours sincerely,

John Burton
Marketing Director

CHILTERN ENGINEERING Ltd

le 27 mai 199-

Cher Monsieur,

Êtes-vous certain que votre société reçoive la meilleure qualité et le service le plus efficace qui existent ? Saviez-vous que plus de 1 000 sociétés de votre pays ont déjà fait de sérieuses économies en utilisant nos produits ?

Si vous recherchez davantage d'efficacité et de rentabilité, ARC Système peut vous apporter la solution. La brochure que je vous envoie ci-joint démontre la sophistication de nos nouveaux systèmes.

Je me rendrai bientôt dans votre région pour vous faire personnellement une démonstration des avantages du système. Dans l'intervalle, si vous voulez en savoir plus sur nous, n'hésitez pas à m'appeler, moi ou quelqu'un de notre équipe, au numéro vert 0800 626 481.

Je reste à votre disposition et vous prie de recevoir, Monsieur, mes sentiments les plus dévoués.

John Burton

Directeur du Marketing.

I ▪ Offre de produit ou de service

E1 VOCABULAIRE COMPLÉMENTAIRE

Le président	The Chairman
Le directeur général	The Managing Director
Le directeur	The Manager
Le chef de service	The Departmental Manager
Le chef de production	The Production Manager
Le directeur des achats	The Purchasing Manager
Le chef magasinier	The Stores Manager
Le chef d'entrepôt	The Warehouse Manager
L'ingénieur en chef	The Chief Engineer
Le chef des transports	The Transport Manager
Le service de formation	The Training Department
Le département d'ingénierie	The Engineering Department
Le chef d'atelier	The Workshop Manager
Le directeur financier	The Finance Manager
Le service des ventes	The Sales Department
Le chef de bureau	The Office Manager
Le service de facturation	The Invoicing Department
Le directeur adjoint	The Assistant Manager
L'assistante du directeur	The Manager's P.A. (Personal Assistant)
La réceptionniste	The Receptionist
La secrétaire	The Secretary

E2 EXERCICES

A) Traduire en anglais parlé :

1) *C'est de la part de qui, s'il vous plaît ?*
2) *Pouvez-vous me dire de quoi il s'agit ?*
3) *Est-ce que vous pouvez me dire à quel moment je pourrais trouver Mme Schwalb ?*
4) *Je pourrais vous consacrer une heure à partir de 15 heures demain.*
5) *Je vais bientôt tourner dans votre région.*

B) Transformer les questions ci-dessous en phrases de style indirect commençant par : **I wondered whether** + verbe au conditionnel :

1) Can I come and meet you when you are in Brussels?
2) When can I come and see you?
3) Can I make an appointment to come and see Mr Samson?
4) Can we give you a demonstration?
5) Can you put me through to the Manager please?

CORRIGÉ

A) 1) Who is calling please?
2) Could you tell me what it's in connection with?
3) Can you tell me when I could find Mme Schwalb in ?
4) I could spare you an hour from 3 pm tomorrow.
5) I will soon be visiting your area.

B) 1) I wondered whether I could come and meet you when you are in Brussels?
2) I wondered whether I could come and see you?
3) I wondered whether I could make an appointment with Mr Samson?
4) I wondered whether we could give you a demonstration ?
5) I wondered whether you could put me through to the Manager please?

II ▪ Réponse à une offre de produit

A1 EXPRESSIONS

■ Parlées

1. Nous venons de voir votre publicité sur... dans...
2. Nous voudrions avoir des renseignements complémentaires sur...
3. Est-ce qu'il serait possible que votre représentant passe nous voir ?
4. Nous aimerions discuter des avantages de votre service avec votre représentant.
5. Est-ce que votre consultant pourrait venir voir notre directeur des achats ?
6. Est-ce que vous pourriez nous envoyer un exemplaire de vos nouveaux tarifs ?
7. Est-ce que vous auriez d'autres détails sur... ?
8. Est-ce qu'il serait possible d'organiser une démonstration chez nous ?
9. Est-ce que vous avez l'intention de nommer un agent ?

■ Écrites

10. Nous avons bien reçu votre documentation concernant...
11. Nous avons remarqué votre publicité concernant...
12. Nous serions désireux d'avoir de plus amples renseignements sur...
13. C'est avec intérêt que nous avons vu...
14. Nous vous serions reconnaissants de bien vouloir nous faire parvenir toute documentation sur...
15. Nous vous saurions gré de bien vouloir nous envoyer à l'adresse ci-dessous vos nouveaux tarifs...
16. Nous aimerions discuter de la possibilité d'une agence avec vous.
17. Nous sommes intéressés par votre proposition, pourrions-nous nous rencontrer afin d'en discuter plus longuement ?

II ■ Reply to product offer

A2 PHRASES

■ Spoken

1. We've just seen [1] your advertisement for... in...
2. We'd like to [2] have some further [3] information [4] about...
3. Would it be possible for your representative to come [5] and see us?
4. We'd like to discuss the benefits [6] / advantages of your service with your representative.
5. Would your consultant be able to [7] come and see our Purchasing Manager?
6. Could you send us a copy of your new price list?
7. Would you have any [8] further particulars of...?
8. Would it be possible to organise a demonstration at our company?
9. Are you planning to appoint an agent?

■ Written

10. We have received your literature concerning...
11. We have seen your advertisement for...
12. We would like to have further information about...
13. We were interested to see...
14. We would be grateful if you would [9] let us have any [10] literature on...
15. We would be obliged if you would forward your new price list / rates to us at the address below...
16. We would like to discuss the possibility of an agency with you.
17. We are interested in your proposal. Would it be possible for us to meet in order to discuss it further?

II ▪ Reply to product offer

B1 TELEPHONE DIALOGUE

UAV = L'Union agricole de Vervins
C = the customer

(UAV) — Allô, l'Union agricole de Vervins...

(C) — Hello, is that the UAV? This is the Purchasing Manager of Red Spot Family Stores. We have been looking through [1] the literature on your locally produced cheeses that you sent. Could you give me some [2] more information please?

(UAV) — Yes, certainly, with pleasure... What would you like to know?

(C) — Well, we tasted [3] some of your cheeses at the Ideal Home Exhibition in London last March and we thought [4] the quality seemed quite satisfactory. Your brochure shows a range of local cheeses. Could you tell me what sort of quantities of Maroilles you have available [5]?

(UAV) — We can deliver up to [6] ten tons of Maroilles but the rarer local cheeses are restricted to about 20 kilos per cheese per customer subject to [7] availability...

(C) — Fine [8], and what are your prices this year?

(UAV) — Maroilles is 28 F the kilo and 22 F the kilo for orders over 3 tons, the other cheeses are sold at 37 F the kilo.

(C) — Including delivery?

(UAV) — No, I'm sorry, we don't deliver [9] but we can arrange for a local haulier to contact you.

(C) — Thank you very much. I'll think about that. Goodbye.

(UAV) — Could I have your name please?

(C) — Mrs Glover, but don't ring me. I'll ring back if I'm still interested.

II ▪ Réponse à une offre de produit

B2 DIALOGUE TÉLÉPHONIQUE

UAV = L'Union agricole de Vervins
C = le client

(UAV) — Allô, l'Union agricole de Vervins...

(C) — Allô, est-ce bien l'UAV ? Ici le directeur des achats des magasins Red Spot. Nous avons étudié la documentation que vous nous avez envoyée sur les fromages fabriqués dans votre région. Pourriez-vous me donner des renseignements complémentaires s'il vous plaît ?

(UAV) — Mais bien sûr, avec plaisir... Que désirez-vous savoir ?

(C) — Eh bien, nous avons dégusté quelques-uns de vos fromages à l'exposition Ideal Home *(Salon des Arts Ménagers)* à Londres en mars dernier et nous avons pensé qu'ils étaient de qualité satisfaisante... Il y a dans votre brochure toute une gamme de fromages régionaux... Est-ce que vous pourriez me donner une idée de la quantité de Maroilles dont vous disposez ?

(UAV) — Nous pouvons livrer jusqu'à dix tonnes de Maroilles mais les fromages régionaux plus inhabituels sont limités à environ 20 kilos par type de fromage pour chaque client dans la limite des stocks...

(C) — Bien... et quels sont vos tarifs pour cette année ?

(UAV) — Le Maroilles coûte 28 F le kilo, 22 F le kilo pour toute commande au-dessus de 3 tonnes ; les autres fromages sont vendus à 37 F le kilo.

(C) — Livraison comprise ?

(UAV) — Non, je suis désolée, nous n'effectuons pas les livraisons mais nous pouvons faire le nécessaire pour qu'un transporteur de la région entre en contact avec vous.

(C) — Je vous remercie beaucoup... Je vais y réfléchir. Au revoir monsieur.

(UAV) — Est-ce que je peux prendre votre nom s'il vous plaît ?

(C) — Mme Glover. Mais ne m'appelez pas. Je vous téléphonerai à nouveau si cela m'intéresse toujours.

II ▪ Réponse à une offre de produit

C1 REMARQUES SUR LES EXPRESSIONS (A1/A2)

1. **we've just seen :** verbe **to see** au passé immédiat, lequel se forme à l'aide de l'auxiliaire **have** (contracté ici en **'ve**) + **just** + participe passé du verbe (ici **seen**, irrégulier).
2. **we'd like to : 'd** est la contraction de **would** ; **we'd like to** est employé très souvent lorsque l'on formule des requêtes.
3. **further :** comparatif de supériorité de l'adjectif **far**, pris ici dans son sens figuré : *ample.*
4. **information :** nom collectif toujours au singulier ; **a piece of information :** *un renseignement.*
5. **for your representative to come... :** remarquez la tournure infinitive **for** + nom + infinitif où le nom est sujet du verbe **to come** (voir également la phrase 17).
6. **discuss the benefits : discuss** est un verbe transitif direct. Attention : pour traduire *le(s) bénéfice(s)* l'une entreprise, etc., employez l'anglais **profit(s)**.
7. **would your consultant be able to : to be able to** équivalent du modal **can** a une valeur différente du **could** de politesse (voir phrase 6). Ici il a le sens de : *aurait-il la possibilité de...*
8. **any :** adjectif indéfini employé dans les formes interrogatives (et négatives).
9. **grateful if you would :** les adjectifs **grateful, obliged, happy, glad**... exprimant des requêtes dans les formules de politesse sont toujours suivis d'une proposition introduite par **if** ; **would** n'est pas l'auxiliaire d'un conditionnel, il exprime ici la bonne volonté.
10. **any :** est employé ici dans une phrase affirmative et a le sens de *tout(e), quel(le), qu'il/elle soit.*

C2 REMARQUES SUR LE DIALOGUE (B1/B2)

1. **we have been looking through :** *nous avons étudié...* present perfect à la forme progressive ; insiste sur la durée de l'action qui s'est déroulée dans un passé indéterminé. La forme simple **have looked** aurait été possible également.
2. **some :** nous avons ici une forme interrogative et c'est cependant l'indéfini **some** qui apparaît ; l'interrogation porte en effet sur **give**. Comparez avec la question suivante : **is there any information you could give me?**
3. **tasted :** *avons dégusté* ; prétérit obligatoire ici puisque l'action passée est datée : **last March.**
4. **thought :** *avons pensé* ; prétérit irrégulier du verbe **to think** ; obligatoire dans ce contexte puisque l'action s'est passée à la même date (**last March**).
5. **have available :** dont *vous disposez* ; var. : **have in stock**. Notez le suffixe **-able** qui entre dans la formation de certains adjectifs (**saleable, portable**).
6. **up to :** *jusqu'à* ; ces deux prépositions associées indiquent la limite supérieure.
7. **subject to :** *dans la limite...* ; **subject to** introduit ici une condition ou une restriction. Dans la phrase **this type of wood is subject to warping** *(ce type de bois est sujet au gauchissement)*, le sens de la locution est plus évident.
8. **fine :** *bien* ; **right** est également possible ici.
9. **we don't deliver :** *nous n'effectuons pas les livraisons.* Le présent simple indique que ce n'est pas dans les habitudes de la maison de livrer, que cela ne se fait jamais. Autres exemples : **we don't give credit, we don't airfreight large orders**, etc.

SETTLE & BRINCKLEY Plc

41, Shepherds' Way, Sevenoaks, Kent,
SK4 8RF England
Tel. (0201) 569288, Fax (0201) 569111

Madame T. Lamotte
Sales Manager
CristalVerre Sarl

Our ref : RT/ys
Your ref : TL/jg

9 July 199-

Dear Mrs Lamotte,

We were interested to see your advertisement in a recent issue of Cuisines Europe. Our attention was especially attracted by your crystal glasses.

We would be grateful if you could let us have further details of these together with your current price list as soon as possible.

Yours sincerely,

R. Taylor (Ms)
Purchasing Manager

SETTLE & BRINCKLEY Plc

41, Shepherds' Way, Sevenoaks, Kent,
SK4 8RF England
Tel. (0201) 569288, Fax (0201) 569111

Madame T. Lamotte
Directrice des Ventes
CristalVerre Sarl

N/Réf. RT/ys
V/Réf. TL/jg

Sevenoaks, le 9 juillet 199-

Chère Madame,

C'est avec intérêt que nous avons remarqué votre publicité dans un numéro récent de Cuisines Europe. Notre attention a été particulièrement retenue par vos verres de cristal.

Nous vous serions reconnaissants de bien vouloir nous faire parvenir aussitôt que possible de plus amples détails ainsi que vos tarifs en vigueur.

Nous vous prions de recevoir, chère Madame, nos salutations les plus distinguées.

R. Taylor
Directeur des Achats
(signé)

II ▪ Réponse à une offre de produit

E1 EXPRESSIONS COMPLÉMENTAIRES

1. Good morning this is... how can I help you?
2. Was that our advertisement in the *Revue Internationale* ?
3. Could you give me the code number of the part / article please?
4. Could you tell me which page of the catalogue it is on ?
5. Will you hold please? I'll put you through to our Sales Department.
6. Would you like me to ask our after sales department to contact you to give you further information?
7. I think the best thing would be for me to arrange for our Sales Engineer / Agent to visit you.
8. When could you see our Engineer?
9. Would you be wanting the order delivered?

---

1. Bonjour, ici... à votre service.
2. Est-ce que c'était notre annonce dans la *Revue Internationale* ?
3. Est-ce que vous pourriez me donner le code de la pièce / l'article s'il vous plaît ?
4. Est-ce que vous pourriez me donner la page du catalogue ?
5. Ne quittez pas, je vous passe notre service des ventes.
6. Est-ce que vous voulez que je demande à notre service après-vente de vous contacter pour vous donner des renseignements complémentaires ?
7. Je crois que le mieux serait que je fasse le nécessaire pour que notre ingénieur des ventes vous rende visite.
8. Quand est-ce que vous pourriez recevoir notre technicien ?
9. Est-ce que vous voudriez que votre commande vous soit livrée ?

A) Traduire en anglais :

1) *Je voudrais avoir des renseignements complémentaires sur votre société.*
2) *Est-ce que vous avez l'intention de nommer un agent pour notre pays ?*
3) *Y a-t-il d'autres détails sur le système que je pourrais avoir ?*
4) *Notre attention a été retenue par votre service exportation.*
5) *Nous vous serions reconnaissants de bien vouloir nous envoyer votre brochure.*

B) Réécrire les phrases ci-dessous en employant les formes pleines des auxiliaires :

1) We've been to the exhibition.
2) We'd like to discuss a contract with you.
3) We'd be grateful if you would.
4) I won't want it delivered now.
5) I'll ring back.

CORRIGÉ

A)
1) I would like further details about your company.
2) Are you planning to appoint an agent for our country?
3) Are there any further particulars of the system that I could have?
4) Our attention was attracted by your export service.
5) We would be grateful if you would send us your brochure.

B)
1) We have been to the exhibition.
2) We would like to discuss a contract with you.
3) We would be grateful if you would.
4) I will not want it delivered now.
5) I will ring back.

III ▪ Prix - Devis

A1 EXPRESSIONS

■ Parlées

1. Quel serait votre prix pour... ?
2. Combien cela coûterait-il de... ?
3. Est-ce que vous pourriez nous avancer un prix pour... ?
4. Est-ce que vous consentez une remise pour les commandes importantes ?
5. Est-ce que vous seriez prêts à nous consentir une remise ?
6. Est-ce qu'il vous serait possible de nous télécopier votre devis aujourd'hui ?
7. Nous voulons un prix net pour...
8. Nous recherchons un fournisseur de...
9. Je vous appelle au sujet du devis que vous nous avez télécopié récemment.
10. Je voudrais avoir quelques renseignements supplémentaires sur le devis que vous nous avez fait parvenir.
11. Nous vous télécopierons le devis aujourd'hui même.
12. D'habitude nous faisons payer...
13. ... mais nous consentons une remise de 7% sur les commandes reçues avant la fin de l'année.

■ Écrites

14. Nos nouveaux tarifs entreront en vigueur à partir de...
15. Nous vous prions de nous transmettre le prix de...
16. Nous avons étudié les caractéristiques techniques de vos machines et nous voudrions que vous nous donniez un prix pour la fourniture de...
17. Nous voudrions connaître vos tarifs actuels pour...
18. Nous pouvons vous faire un prix intéressant pour une commande à l'essai.
19. Au cas où vous désireriez de plus amples renseignements nous serions heureux de vous les fournir.
20. Les prix s'entendent pour une commande minimum de 20 boîtes.

A2 PHRASES

■ Spoken

1. How much[1] would you charge[2] to... ?
2. How much would it cost to... ?
3. Could you quote[3] us for... ?
4. Do you give discounts for large orders?
5. Would you be prepared to give us a discount?
6. Would you be able to fax[4] us a quote today?
7. We want an all-in[5] quote for...
8. We're looking for a supplier of...
9. I'm ringing about the quote you faxed us recently.
10. I'd[6] like a few[7] more details about the quote you sent us...
11. We'll fax you the quote today.
12. We usually charge[8]...
13. ... but we're offering a discount of 7% on orders received before the end of the year.

■ Written

14. Our new prices will come into effect from...
15. Please let us have[9] the price of...
16. We have studied the specifications[10] of your machines and would like you to quote[11] us for the supply of...
17. We would be interested to know your current price / charge for...
18. We can quote you an attractive price for a trial order.
19. Should you require[12] further[13] details we will be happy to supply them.
20. Prices are for a minimum order of 20 boxes.

III ▪ Price quotations - Estimates

B1 DIALOGUE

(Le représentant est reçu par un nouveau client.)

R. = representative PA = Personal Assistant
Mr M. = Mr Moore

(R.) — Good morning, my name is Philippe Sérin, I have an appointment [1] with Mr Ray Moore.

(PA) — Good morning. Oh yes... Would you like to go straight in? Mr Moore is expecting you.

(R.) — Mr Moore? I'm Philippe Sérin from Interélectronique. We spoke on the phone a few weeks ago...

(Mr M.) — How do you do? I agreed to see you because I'd heard [2] about [3] some of your products from my friend at Electrowash UK. What do you think you can do for us?

(R.) — Well, we produce a very wide range of integrated circuits for companies like yours [4]. We are one of the largest [5] suppliers in France. We have supplied your neighbours Electrowash UK for [6] a number of years. I feel that we may [7] well be able to help you achieve savings in the cost of your outsourced [8] pcb's.

(Mr M.) — I suppose you know that we usually get our pcb's from Hahn GmbH? It so happens that we are looking for a new supplier. Would you be interested in quoting?

(R.) — Definitely. I could have a quote faxed [9] to you within 24 hours of receiving a copy of your spec.

(Mr M.) — That's not bad... Let's go and get a copy of the spec now.

(Later...)

(R.) — Well, thank you for sparing time to see me, Mr Moore. I'll make sure you receive that quote by tomorrow evening. I'm sure you'll find our company reliable as well as competitive.

B2 DIALOGUE

R. = représentant S. = secrétaire
M.M. = M. Moore

(R.) — Bonjour madame, je suis Philippe Sérin, j'ai rendez-vous avec M. Ray Moore.

(S.) — Bonjour monsieur. Ah oui... Voulez-vous entrer directement ? M. Moore vous attend.

(R.) — M. Moore ? Philippe Sérin d'Interélectronique. Nous nous sommes parlé au téléphone il y a quelques semaines.

(M.M.) — Enchanté. J'ai accepté de vous recevoir parce que mon ami qui est à Electrowash UK m'avait parlé de vos produits. Qu'est-ce que vous pensez pouvoir faire pour nous ?

(R.) — Eh bien, nous fabriquons une gamme très variée de circuits intégrés pour des entreprises comme la vôtre. Nous sommes l'un des plus importants fournisseurs de France. Cela fait un certain nombre d'années que nous fournissons Electrowash UK, vos voisins. Je pense que nous pouvons peut-être en effet vous aider à réaliser des économies dans le coût de vos circuits imprimés fabriqués en sous-traitance.

(M.M.) — Vous savez, je suppose, que nous achetons d'habitude nos circuits imprimés chez Hanh GmbH ? Il se trouve que nous cherchons un nouveau fournisseur. Est-ce que vous voulez nous soumettre vos prix ?

(R.) — Certainement. Je pourrais vous faire télécopier un devis dans les 24 heures suivant la réception de vos caractéristiques techniques.

(M.M.) — Pas mal... Allons chercher tout de suite un exemplaire des caractéristiques.

(Plus tard...)

(R.) — Eh bien, merci de m'avoir accordé un moment monsieur Moore. Je veillerai à ce que vous receviez le devis avant demain soir. Je suis certain que vous trouverez notre société à la fois fiable et compétitive.

C1 REMARQUES SUR LES EXPRESSIONS (A1/A2)

1. **how much :** lorsque l'on veut s'enquérir du prix d'une marchandise, d'un service...
2. **charge :** littéralement, *faire payer* (voir la phrase 12).
3. **quote :** *avancer un prix* ; cf. **a quote :** *un devis* (voir phrase 6).
4. **to fax :** *télécopier* ; cf. *faxer*, de plus en plus utilisé en français.
5. **all-in :** *net, tout compris* ; mot composé employé comme adjectif.
6. **I'd :** forme contractée de **I would**.
7. **a few :** *quelques* ; adjectif indéfini toujours suivi d'un nom pluriel ; **some** aurait pu apparaître ici également.
8. **charge / are offering :** *faisons payer / consentons.* Remarquez le présent simple du premier verbe, justifié par la présence de l'adverbe **usually**, et le présent progressif du second, dénotant une action qui se déroule au moment où l'on parle.
9. **let us have :** mot à mot, *laissez-nous avoir.*
10. **specifications :** *caractéristiques* ; se trouve parfois sous la forme abrégée **spec**.
11. **would like you to quote :** exemple de construction infinitive après le verbe **like** (comme après **want**) où le pronom personnel est sujet de l'infinitif.
12. **should you require :** le modal **should** indique ici une éventualité ; remarquez l'inversion auxiliaire-sujet. Phrase d'un style plus relevé que : **if you ever require...**
13. **further :** comparatif de supériorité irrégulier de l'adjectif **far** pris dans son sens figuré.

C2 REMARQUES SUR LE DIALOGUE (B1/B2)

1. **appointment :** *rendez-vous* ; peut aussi signifier *nomination à un poste.*
2. **heard :** participe passé de **hear** ; **I had heard** est le plus-que-parfait marquant une antériorité par rapport au verbe **agreed** au prétérit.
3. **heard about :** c'est la préposition **about** qui donne le sens à la locution verbale. Autre exemple souvent rencontré en correspondance, **to hear from :** *recevoir des nouvelles / une lettre de quelqu'un.*
4. **like yours :** *comme* ; **like** est employé dans les comparaisons qui comportent un nom ou un pronom.
5. **one of the largest :** *l'un des plus...* ; superlatif de supériorité de l'adjectif court **large** ; remarquez l'emploi de la préposition **in** (France) souvent associée à un superlatif. Autre exemple, **the best in the world :** *le meilleur au monde.*
6. **for :** *cela fait...* ; **for** *(depuis)* introduit toujours un complément de temps qui indique une durée **(a number of years, a long time, three months...)** ; le verbe de la proposition **(have supplied** ici**)** est au present perfect.
7. **may :** *peut-être* ; modal qui rend l'aspect hypothétique d'une action **(be able).**
8. **outsourced :** mot récent du vocabulaire économique anglo-saxon, où l'on trouve **out** introduisant la notion d'extérieur, associé à **source** *(origine)* ; cf. **subcontracted,** *en sous-traitance.*
9. **have a quote faxed :** *faire télécopier un devis* ; **have** + objet + participe passé est la tournure employée lorsque le locuteur ne fait pas l'action lui-même mais la fait faire par un autre. Autres exemples : **I shall have our brochure sent to you immediately ; we can have the parcel delivered to you...**

KELLY HOLDINGS Inc.
8401 West Parkside Avenue, CHICAGO, ILLINOIS, 60646 USA

Our Ref : RA/TY

March 14, 199-

Gentlemen,

Following your recent telex inquiry, we have pleasure in enclosing our quotation for the supply of the machines you require for your new plant in Bayonne.

Our quotation includes the cost of delivery to the port of La Rochelle but we would be prepared to arrange for the goods to be airfreighted to Pau airport at no extra charge if you confirm your order by the end of the month. All items of plant will be installed by our engineers.

Should you wish to discuss this quotation further our Sales Director, Ed. Greenspan will be happy to help, he can be contacted on 0506 848 264.

Thank you for your interest in our products.

Sincerely yours,

Raymond Alvarez
Vice-President
Kelly Holdings Inc.

Enc : quotation
cc : E.G.

D2 CORRESPONDANCE

KELLY HOLDINGS Inc.
8401 West Parkside Avenue, CHICAGO, ILLINOIS, 60646 USA

N/Réf. : RA/TY

Chicago, le 14 mars 199-

Messieurs,

Suite à votre demande de renseignements que nous avons reçue récemment par télex, nous avons le plaisir de vous envoyer ci-joint un devis concernant la fourniture des machines demandées pour votre nouvelle installation à Bayonne.

Notre devis comprend les frais de livraison jusqu'au port de La Rochelle mais nous serions prêts à faire le nécessaire pour que les marchandises soient envoyées par fret aérien jusqu'à l'aéroport de Pau sans frais supplémentaires, à condition que vous nous confirmiez votre commande avant la fin du mois. Tous les modules de l'installation seront montés par nos ingénieurs.

Au cas où vous désireriez discuter davantage de ce devis, Monsieur Ed Greenspan, notre Directeur des Ventes, se fera un plaisir de vous aider ; vous pouvez le contacter au 0506 848 264.

Nous vous remercions de l'intérêt que vous portez à nos produits et vous prions de recevoir, Messieurs, nos salutations distinguées.

Raymond Alvarez
Vice-Président
Kelly Holdings Inc.

P.J. : devis
cc : E.G.

III ▪ Prix - Devis

E1 VOCABULAIRE COMPLÉMENTAIRE

un appel d'offres	a call for tenders
communiquer un prix	to quote a price
un devis	a quote
une différence de prix	a price differential
faire connaître un prix / indiquer un prix / offrir un prix	to quote a price
par adjudication	by tender
un prix concurrentiel	a competitive price
un prix conseillé	a recommended retail price (RRP)
le prix d'achat	the purchase price
le prix de détail	the retail price
le prix de gros	the wholesale price
le prix de lancement	the launch price / the introductory price
le prix de revient	the cost price
le prix de vente	the selling price
un prix forfaitaire	an inclusive price
un prix promotionnel	a special offer / a promotional price
prix sorti d'usine	price ex-works
prix tout compris	all-in price
le prix unitaire	the unit price
un rabais	a discount
une réduction sur la quantité	a volume discount

Reportez-vous aussi à **IV, E1, page 46,** pour la liste des conditions les plus usuelles dans les contrats de vente (INCOTERMS).

E2 EXERCICES

A). Traduire en anglais :

1) *Bonjour, j'ai rendez-vous avec M. Akabi.*
2) *Est-ce que vous pourriez nous avancer un prix ?*
3) *Est-ce qu'il vous serait possible de nous télécopier votre devis cet après-midi ?*
4) *Votre directeur, M. MacMahon, a accepté de me recevoir à 14 heures.*
5) *Nous pouvons vous faire un prix intéressant pour une commande à l'essai.*

B) Compléter les phrases ci-dessous sur le modèle : **I could have a quote faxed to you.**

1) Could you ... the order (to send) by air?
2) I wondered whether you could ... the quote (to fax) to us tomorrow?
3) I am sure I could ... your spec (to look at) by our engineers tomorrow.
4) We could ... the goods (to airfreight) at no extra charge.
5) We would like you to ... the boxes (to deliver) to our warehouse.

CORRIGÉ

A) 1) Good morning, I have an appointment with Mr Akabi.
2) Could you quote us?
3) Would you be able to fax us your quote tomorrow?
4) Your Manager Mr MacMahon has agreed to see me at 2 o'clock.
5) We can quote you an attractive price for a new order.

B) 1) Could you have the order sent by air?
2) I wondered whether you could have the quote faxed to us tomorrow?
3) I am sure I could have your spec looked at by our engineers tomorrow.
4) I could have the goods airfreighted at no extra charge.
5) We would like you to have the boxes delivered to our warehouse.

IV ▪ Conditions de paiement

A1 EXPRESSIONS

■ Parlées

1. Quelles seraient les conditions que vous nous proposeriez pour une commande de...
2. Est-ce que pourriez nous donner vos conditions habituelles s'il vous plaît ?
3. Je vous téléphone pour vous demander des précisions sur vos conditions de règlement.
4. Nous ferons le nécessaire auprès de la banque... pour effectuer le paiement par... (lettre de crédit).
5. Nous vous téléphonons pour vous confirmer que le règlement a été effectué et que les marchandises vous parviendront certainement sous peu.
6. Nous espérons que le règlement sera effectué avant... (date).

■ Écrites

7. Nous vous remercions de votre lettre ; nos conditions habituelles pour les commandes en provenance de l'étranger sont les suivantes...
8. Les conditions de vente sont imprimées au dos de notre catalogue.
9. Veuillez faire le nécessaire auprès de la banque... pour que le paiement soit effectué.
10. ... règlement par virement bancaire dans un délai de 90 jours à compter de la réception du relevé...
11. Veuillez tirer sur nous à 60 jours de vue pour le montant de votre facture.
12. Votre commande vous sera envoyée dès réception de votre versement.
13. Comme convenu, les documents d'expédition vous seront remis contre le règlement de la somme qui figure sur la facture...
14. Nous vous prions d'ouvrir une lettre de crédit irrévocable en notre faveur.

A2 PHRASES

■ Spoken

1. What sort of terms would you give us for an order for...
2. Could you tell us what your usual terms are [1] please?
3. I'm ringing to ask for further particulars [2] about your terms of settlement.
4. We'll be arranging [3] for payment through... Bank ... by ... (letter of credit).
5. We're ringing to confirm that your payment has gone through [4] and that we would expect [5] the goods to reach you shortly.
6. We expect settlement to be made by... (date).

■ Written

7. Thank you for your inquiry. Our usual terms for foreign orders are...
8. Terms of sale are printed at the back of our catalogue.
9. Please arrange for [6] payment through... Bank.
10. ... payment by Banker's transfer within 90 days of receipt of statement.
11. Please draw on us at 60 days for the amount of your invoice.
12. Your order will be forwarded on reception [7] of your remittance.
13. As agreed, shipping documents will be handed to you against settlement of the amount shown on the invoice.
14. Please open an irrevocable letter of credit in our favour.

IV ▪ Terms of payment

B1 TELEPHONE DIALOGUE

— Hello, Moteurs Sapex. Which [1] department do you want?

— Sales, please.

— Afternoon [2], Sales here, how can we help?

— I'm looking for a supplier for 250, 1,000 watt AC electric motors [3]. Would you have them in stock?

— AC [4] ? I'll just check [5]... Yes, we have plenty in stock.

— I need them in a hurry. What are your usual terms?

— For urgent small orders, we usually ask customers to pay cash on delivery ; otherwise most orders to EEC countries are settled CIF [6]. Where are you calling from?

— Jakarta...

— Jakarta ! Well, we'd normally quote FOB [7] Marseille or FOB Roissy, packing and crating 100 FF extra per [8] 10 motors. But if you are willing to pay the extra we'll quote you CIF Jakarta.

— How soon would you be able to deliver to Roissy?

— Within 7 days [9] of your bank's confirmation of the credit arrangements.

— Would you accept settlement by bill of exchange?

— Yes, that would be fine. Settlement by bill of exchange at 90 days, documents against acceptance.

— OK, I'll think it over. Can you telex me a quote today on 42694 COMRAT JKT and I'll get back to you [10] ? Shall I give that to you again? 4...2...

IV ▪ Conditions de paiement

B2 DIALOGUE TÉLÉPHONIQUE

— Allô, les moteurs Sapex. Quel service voulez-vous ?

— Le service des ventes s'il vous plaît.

— Bonjour, les ventes à votre service...

— Je cherche un fournisseur pour 250 moteurs électriques en courant alternatif de 1000 watts. Est-ce que vous auriez ça en magasin ?

— Courant alternatif ? Attendez, je vais vérifier... Oui, nous en avons une grande quantité en magasin.

— J'en ai besoin rapidement. Quelles sont vos conditions habituelles ?

— Pour les commandes peu importantes nous demandons habituellement à nos clients de payer à la livraison ; autrement, la plupart des commandes pour les pays de la CEE sont réglées CAF. D'où m'appelez-vous ?

— De Jakarta...

— De Jakarta ! Eh bien, nous donnerions normalement un prix FAB Marseille ou FAB Roissy avec un supplément de 100 FF par dizaine de moteurs pour emballage et mise en caisse. Mais si vous êtes disposés à payer le supplément nous vous ferons le prix CAF Jakarta.

— Dans quel délai pourriez-vous livrer à Roissy ?

— Dans les 7 jours suivant confirmation du crédit par votre banque.

— Est-ce que vous accepteriez d'être payé par lettre de change ?

— Oui, ça irait : règlement par lettre de change à 90 jours, documents contre acceptation.

— D'accord, je vais y réfléchir. Est-ce que vous pouvez m'envoyer un devis par télex au 42694 COMRAT JKT et je vous rappelerai ensuite ? Je vous le répète ? 4... 2...

IV ▪ Conditions de paiement

C1 REMARQUES SUR LES EXPRESSIONS (A1/A2)

1. **what your usual terms are :** *(nous donner) vos conditions habituelles* ; mot à mot : *ce que sont vos conditions.* Remarquez la place du verbe *être* dans ce type de construction indirecte alors que dans une question de style direct nous aurions : **what are your usual terms?**
2. **ask for further particulars :** *demander des précisions.* Mis à part quelques exceptions, le verbe **ask** s'emploie avec la préposition **for** lorsqu'il est suivi d'un complément (**ask for advice, ask for a quote, ask for information**...).
3. **we'll be arranging... :** *nous ferons le nécessaire...* ; futur progressif ; comme pour tous les autres temps, la forme progressive se construit à l'aide de l'auxiliaire **be** (ici **will be**) suivi du verbe en **-ing**. Le futur progressif est employé de préférence au futur simple lorsque le locuteur veut insister sur le caractère certain d'une action qui se déroulera dans un avenir proche.
4. **gone through :** dans une conversation, le locuteur anglais donne toujours préférence aux tournures verbe + postpositions qui posent souvent des problèmes de compréhension aux étrangers ; var. : **been made, been effected.**
5. **we would expect... :** *certainement* ; **to expect**, dont le sens général est *s'attendre à / espérer,* est difficile à rendre en français dans certains contextes ; il est alors préférable de traduire l'idée.
6. **arrange for :** *faire le nécessaire.* Ce verbe est très usité dans la langue commerciale, à retenir !
7. **on reception :** la préposition **on** introduit ici un complément de temps. On aura de même : **on Monday, on arrival**, etc.

C2 REMARQUES SUR LE DIALOGUE (B1/B2)

1. **which :** *quel* ; **which** est employé de préférence à **what** lorsqu'il y a un choix limité.
2. **afternoon :** *bonjour* ; forme tronquée de **good afternoon** dans un style assez relâché.
3. **1,000 watt AC electric motors :** groupe de mots ; repérer d'abord celui auquel se rapportent les autres : ici, **motors**, puis traduire en remontant la phrase. Remarquez que **watt**, qui se comporte en adjectif, reste invariable.
4. **AC :** est l'abréviation de **alternating current.**
5. **I'll just check :** *attendez, je vais vérifier.* Notez l'emploi du futur simple dans cette réponse. Tel est toujours le cas lorsque le locuteur a fait l'action immédiatement après avoir parlé et que la décision a été prise sur-le-champ.
6. **CIF :** pour **Cost Insurance Freight :** *coût assurance fret (CAF).*
7. **FOB :** pour **Free On Board :** *franco à bord (FAB).*
8. **per :** *par* ; s'emploie pour exprimer des ratios et des taux. Autres exemples, **a 10 per cent discount :** *un rabais de 10%* ; **$30 per day, £30 per person.**
9. **within 7 days of :** *dans les 7 jours* ; **within** est, dans ce contexte, toujours suivi d'une durée : **within 24 hours** *(sous 24 heures),* **within a fortnight** *(sous quinzaine),* etc. **I will ring you within 7 days :** *dans la semaine qui suit.*
10. **I'll get back to you :** est de style plus relâché que les variantes : **I'll ring you back, I'll phone you again, I'll call you back.**

D1 CORRESPONDENCE

SF Electronics Ltd

Unit 8 Moorswater Industrial Estate Taunton - Devon, TA1 7TR, England

Our ref : FH/sd
Your ref : tt/yf

Monsieur R. Noir
ALUSEP sarl

12 May 199-

Dear Sir,

Thank you for your telephone call of 6 May and your letter of 8 May indicating the special discount of 7.5% which you are willing to make available to us. We are pleased to confirm our acceptance of the terms and enclose our order No 75940/R for 25 gross of your moulding No 475854.

In accordance with your terms of payment we have instructed Barclays Bank International to open a credit for 65,749 FF in your favour, valid until 6 August. This credit will be confirmed by Barclays Bank International, 1 place de la Soute, 13100 Marseille who will accept your draft on them at 60 days for the amount of your invoice.

Please attach the following documents to your draft : 2 bills of lading, 2 commercial invoices, insurance policy for 70,000 FF.

Your invoice should include CIF Southampton and the amount of our credit covers this as well as bank commission.

We would stress that this is a trial order. If the quality of the goods is up to sample we will expect to place regular orders.

Yours faithfully,

D2 CORRESPONDANCE

SF Electronics Ltd

Unit 8 Moorswater Industrial Estate Taunton - Devon, TA1 7TR, England

N/Réf. : FH/sd
V/Réf. : tt/yf

Monsieur R. NOIR
ALUSEP sarl

12 mai 199-

Monsieur,

Nous avons bien reçu votre appel téléphonique du 6 mai et votre lettre du 8 mai, par laquelle vous nous informez que vous êtes prêts à nous consentir une remise exceptionnelle de 7,5%. Nous avons le plaisir de vous confirmer que nous acceptons ces conditions et vous prions de trouver ci-joint notre commande n° 75940/R de 25 grosses de votre moulure n° 475854.

Conformément à vos conditions de paiement, nous avons fait le nécessaire auprès de la Barclays Bank International, qui ouvrira en votre faveur un crédit de 65 749 FF, valable jusqu'au 6 août. La Barclays Bank International, 1 place de la Soute à Marseille, vous confirmera le crédit et acceptera que vous tiriez sur eux à 60 jours pour le montant de votre facture.

Nous vous prions de joindre à votre traite les documents suivants : 2 connaissements, 2 factures commerciales et la police d'assurance pour la somme de 70 000 FF.

Votre facture doit être établie C.A.F. Southampton, ce qui, de même que les charges bancaires, sera couvert par notre crédit.

Nous vous rappelons qu'il s'agit d'une commande à l'essai et que si la qualité des marchandises nous satisfait, nous serons amenés à vous passer commande régulièrement.

Nous vous prions de recevoir, Monsieur, nos salutations les plus distinguées.

IV ▪ Conditions de paiement

E1 VOCABULAIRE COMPLÉMENTAIRE

INCOTERMS :
liste des conditions les plus usuelles dans les contrats de vente

Les prix mentionnés peuvent être :

ex-works, ex-factory, ex-mill	*à l'usine (sortie d'usine)*
ex-warehouse	*en magasin*
FOR (free on rail)	*Franco wagon*
FOT (free on truck)	*Franco wagon* (US) aussi *franco camion*
FAS (free alongside ship)	*Franco le long du navire*
FOB (free on board)	*FOB (franco bord)*
FOB airport	*FOB aéroport*
C & F (cost and freight)	*C & F (coût et fret)*
CIF (cost, insurance, freight)	*CAF (coût, assurance, fret)*
Carriage Paid to...	*Port payé jusqu'à...*
Freight Paid to...	*Fret payé jusqu'à...*

Ex-Ship
(marchandise à la disposition de l'acheteur à bord du navire dans le port de destination)

Ex Quay (duty paid)	*À quai (dédouané)*
Ex Quay (duties on buyer's account)	*À quai (non dédouané)*
Delivered at frontier	*Rendu frontière*

(indiquer les deux pays que la frontière sépare, et le lieu de livraison)

Delivered... (named place of destination in the importing country) duty paid	*Rendu... (lieu de destination convenu dans le pays d'importation) droits acquittés*

On trouve aussi :

Carriage Forward/(US) Collect	*Port dû*
Free Carrier	*Franco transporteur*
Freight and Insurance Paid to...	*Fret payé, assurance comprise, jusqu'à...*
Airfreight Collect	*Port aérien dû*
Delivered Duty Paid	*Rendu, droits acquittés*
Carriage Paid / Freight Prepaid	*Port payé*

E2 EXERCICES

A) Traduire en anglais :

1) *Je vous téléphone pour vous demander vos conditions habituelles.*
2) *La plupart de nos commandes sont réglées CAF.*
3) *Veuillez faire le nécessaire auprès de la Banque Orientale pour que le paiement soit effectué.*
4) *Est-ce que vous accepteriez d'être payé par lettre irrévocable ?*
5) *Le règlement sera effectué avant le 5 juin.*

B) Transformez les phrases en suivant le modèle : **"I will write to confirm the contract". "I'll be writing to confirm the contract".**

1) I will telephone you with the details.
2) I am going to send you the specification.
3) They will fax us their terms soon.
4) Can you tell me how you will arrange for payment?
5) When will you forward our order?

CORRIGÉ

A)
1) I am telephoning to ask what your usual terms are?
2) Most of our orders are settled CIF.
3) Please arrange for payment through the Banque Orientale.
4) Would you accept payment by irrevocable letter of credit?
5) Payment will be made before the 5 June.

B)
1) I'll be telephoning you with the details.
2) I'll be sending you the specification.
3) They will be faxing us their terms soon.
4) Can you tell me how soon you will be arranging for payment?
5) When will you be forwarding our order?

V ▪ La vente

A1 EXPRESSIONS

■ Parlées

1. Que puis-je pour vous ?
2. Est-ce qu'on s'occupe de vous ?
3. Est-ce que vous cherchez quelque chose de particulier ?
4. Est-ce que vous avez quelque chose de précis en vue ?
5. Est-ce que vous avez... ?
6. Est-ce que vous avez... en magasin ?
7. C'est pour un homme ou une dame ?
8. Je suis désolé(e), nous n'avons pas ces... en magasin, mais nous avons ceci qui s'en rapproche beaucoup.
9. Est-ce que vous connaissez votre taille ?
10. Est-ce que vous voulez essayer ceci ?
11. Nous en avons de très joli(e)s... exposé(e)s en vitrine,
12. Je n'en ai pas en ce moment, mais j'attends une livraison cet après-midi.
13. Je suis désolé mais c'est épuisé.
14. Je peux vous consentir une remise de 15% si vous payez en dollars américains.
15. Je regrette mais ce/cette... ne fait pas partie des soldes.
16. Ce modèle est de toute dernière conception, il est très fiable.
17. C'est un peu plus cher mais la qualité est d'autant supérieure.
18. Est-ce que vous voulez l'emporter ou voulez-vous qu'on vous l'envoie ?
19. Est-ce que vous voulez un paquet-cadeau ?
20. Est-ce que vous payez en liquide ou par chèque de voyage ?
21. Bonjour, je représente ABC sarl, est-ce que M. Harvey est libre ?

A2 PHRASES

■ Spoken

1. Can I help you[1]?
2. Is anyone looking after you[2]?
3. Are you looking for anything in particular?
4. Do you have anything in particular in mind?
5. Do you have[3]...?
6. Do you stock...?
7. Is it for a man or a woman?
8. I'm afraid[4] we don't stock those but we do stock this which is very similar[5].
9. Do you know your size?
10. Would you like to try this?
11. We have some very nice ones on display[6] in the window[7].
12. I haven't any at the moment but I'm expecting a delivery of new stock[8] this afternoon.
13. I'm afraid this is out of stock.
14. I can offer you a 15% discount if you are paying in US dollars.
15. I'm afraid this isn't in the sale.
16. This model uses the very latest technology[9], it's very reliable.
17. This is a little more expensive but the quality is that much better.
18. Do you want to take it with you or would you like it sent[10]?
19. Do you want it gift-wrapped?
20. Are you paying in cash or by travellers' cheque?
21. Good morning, I'm from ABC sarl, is Mr Harvey free?

V ▪ The sale

B1 DIALOGUE

— Good morning madam. Can I help you?

— Oh good morning. Er, I was just looking really. I see you have a sale on [1]. Do you have any [2] light Summer dresses?

— Oh yes, madam, we have quite a selection upstairs; if you'd [3] like to follow me, I'll show you.

— Right.

— There we are. Do you know your size?

— Yes, but it's not for me, it's a present for my daughter, she's size 42 [4].

— Size 42? Oh well we have a few nice ones [5] here in the sale and over there we have some very nice silk dresses.

(Later ...)

— I think I'll take this one.

— The green one? Certainly, madam. Would you like it gift-wrapped?

— Oh yes! What a good idea! Will it take long? I have to be back [6] in the hotel in 10 minutes.

— I'll wrap it for you now... there you are, madam, that's 750 francs.

— 750 francs! I thought there was a reduction of 20% on items in the sale...

— No, I'm afraid the ones in the sale are by the door [7], these are the very latest style for the Autumn and they're not in the sale.

— Oh dear! Well, it's such a lovely dress! I don't have enough French francs: will you accept [8] payment by credit card?

— Yes. Do you have any proof of identity?

V ▪ La vente

B2 DIALOGUE

— Bonjour madame. Que puis-je pour vous ?

— Ah, bonjour. Euh, je regardais simplement... Ah, je vois que vous faites des soldes. Est-ce que vous avez des robes d'été légères ?

— Oui madame, nous en avons tout un choix en haut ; si vous voulez me suivre, je vais vous montrer.

— D'accord.

— Voilà. Vous connaissez votre taille ?

— Oui, mais ce n'est pas pour moi, c'est un cadeau pour ma fille ; elle prend du 42.

— Taille 42 ? Alors nous en avons quelques jolies ici dans les soldes et là-bas, nous avons de très jolies robes de soie. *(Plus tard...)*

— Je crois que je vais prendre celle-ci.

— La verte ? Certainement, madame. Vous voulez un paquet-cadeau ?

— Tiens oui, c'est une idée, ce sera long ? Je dois être de retour à l'hôtel dans 10 minutes.

— Je vous l'emballe tout de suite... Voilà, madame, 750 francs s'il vous plaît.

— 750 francs ! Je croyais qu'il y avait un rabais de 20% sur les articles soldés.

— Je suis désolée mais les soldes sont près de la porte. Celles-ci sont la dernière mode pour l'automne et elles ne sont pas soldées.

— Mon Dieu... tant pis, c'est une si jolie robe ; je n'ai pas assez de francs français : vous acceptez le règlement par carte de crédit ?

— Oui. Est-ce que vous avez une pièce d'identité ?

C1 REMARQUES SUR LES EXPRESSIONS (A1 / A2)

1. **Can I help you? :** *que puis-je pour vous ?* ; mot à mot, *puis-je vous aider ?*
2. **... looking after you? :** *... s'occupe de vous ?* C'est la postposition **after** qui donne le sens au verbe **look** ; voir la phrase suivante **are you looking for** *(cherchez-vous)* et les autres exemples :. **we'll look into the matter :** *nous étudierons la question* ; **I'll look through these documents :** *j'examinerai ces documents*, etc.
3. **do you have...? :** var. **have you got...?**
4. **I'm afraid... :** *je suis désolé(e).* Retenez cette expression qui revient souvent dans les conversations ; elle a perdu son sens littéral *(je crains que...)* et exprime simplement le regret. Autre exemple courant : **Is Mr Smith in? — No, I'm afraid he's out.**
5. **which is very similar :** *qui s'en rapproche beaucoup* ; mot à mot, *qui est très semblable.*
6. **on display :** *exposées*. Dans le même contexte : **a display stand / case :** *un présentoir / coffret d'étalage,* **to display :** *exposer.*
7. **window :** *vitrine* ; mis pour **shop window.**
8. **a delivery of new stock :** *une livraison* (*d'un nouveau stock* est sous-entendu). Retenez les expressions avec **stock : in stock, out of stock** et également **to take stock / to carry out stocktaking :** *faire l'inventaire,* **surplus stock :** *soldes.*
9. **uses the latest technology :** *est de toute dernière conception* ; mot à mot : *exploite la dernière technologie.*
10. **would you like it sent? :** *voulez-vous que l'on vous envoie ?* Le verbe *être*, à la voix passive, est sous-entendu **(to be sent).**

C2 REMARQUES SUR LE DIALOGUE (B1/B2)

1. **... you have a sale on :** *vous faites des soldes.* À retenir également les expressions suivantes dans le même contexte : **the sales are on :** *c'est le moment des soldes,* **sale price :** *prix de solde,* **in the sale :** *en solde,* **closing down sale :** *liquidation* (avant fermeture/départ).
2. **do you have any... :** *est-ce que vous avez des...* ; la forme interrogative entraîne l'apparition de l'adjectif indéfini **any.**
3. **you'd :** contraction de **you would.**
4. **she's size 42 : she is size 42.** Pour les tailles, dimensions, âge, le verbe **to be** est de rigueur ; ex. : **it is 2 metres long.**
5. **a few nice ones :** *quelques jolies* ; l'adjectif indéfini **a few** est employé devant un nom dénombrable. Pour les non-dénombrables **a little** est utilisé ; ex. : **do you have any loose change? I have a little change left.**
6. **I have to be back :** *Je dois être de retour* ; **to have** est l'équivalent du modal **must**. Il apparaît ici au présent pour indiquer que ce sont des circonstances extérieures qui l'obligent à retourner à l'hôtel. Dans le cas de **I must be back,** ce serait la cliente qui déciderait elle-même de retourner.
7. **by the door :** *près de la porte* ; la préposition **by** indique ici la proximité ; synonyme de **near**.
8. **will you accept...? :** *vous acceptez... ?* ; le sens premier de **will** n'est pas ici le futur mais le bon vouloir *(voulez-vous, êtes-vous prêt à...).*

D1 DIALOGUE 2

— Pleased to meet you Mr Sandoz... So you represent Déco SA? Now, what have you got to show me [1]?

— We have a new range [2] of bathroom fittings in a selection of attractive colours. I have some samples [3] here.

— Mmmm... yes. I think the pastel shades would do well [4]. What's the difference between the Fleury range and the Condor range?

— Well, the Condor range is less expensive [5] and is designed for occasional use. The Fleury range is especially robust and is designed for more intensive use. Using the latest technology, it is very reliable.

— I see. Can I have a look... How much are those taps in the Fleury range?

— The wholesale price is £65.

— £65! That means the retail price would be much too high for our customers in the DIY [6] market. What about the same items in the Condor range?

— Ah yes. The taps would wholesale [7] at £30 each. To launch the new range, we're offering a discount of 10% on all orders plus an attractive free display stand.

— That's more like it. I think we'll try the Condor range... The market's ready for bright colours now. I'll put an order together. Can you leave the samples until tomorrow?

— Certainly. I know you carry [8] a lot of our lines [9] already... How are they doing? Do you need any new stock?

— As a matter of fact, I'm short of quite a few things. How soon could I have them?

D2 DIALOGUE 2

— ... Enchanté, monsieur Sandoz... Alors vous représentez Déco SA ? Bon, qu'est-ce que vous avez à me montrer ?

— Nous avons un nouveau choix d'accessoires pour salle de bains dans une gamme de couleurs séduisantes. J'ai quelques échantillons ici.

— Hum, oui. Je crois que les tons pastel se vendraient bien. Quelle différence y a-t-il entre les gammes Fleury et Condor ?

— Eh bien, la Condor est moins chère, elle est conçue pour une utilisation intermittente. La gamme Fleury est particulièrement résistante, elle est conçue pour une utilisation plus intensive. De conception très récente, elle est très fiable.

— Je vois... Est-ce que je peux regarder... Quel est le prix de ces robinets de la gamme Fleury ?

— Le prix de gros est de £65.

— £65 ! Ça veut dire que le prix de détail serait trop élevé pour nos clients du marché du bricolage... Et les mêmes articles de la gamme Condor ?

— Ah, oui. Les robinets se vendraient £30 pièce au prix de gros. Pour lancer la nouvelle gamme, nous proposons une remise de 10% sur toutes les commandes avec en supplément un joli présentoir.

— J'aime mieux ça. Nous allons essayer la gamme Condor, je pense. Les clients veulent des couleurs éclatantes en ce moment. Je vais préparer une commande. Est-ce que vous pouvez laisser les échantillons jusqu'à demain ?

— Oui, bien sûr. Je sais que vous êtes déjà dépositaire de bon nombre de nos articles... Comment ça marche ? Avez-vous besoin de renouveler le stock ?

— À vrai dire, oui, il me manque pas mal d'articles. Dans quel délai pourrais-je les avoir ?

E1 REMARQUES SUR LE DIALOGUE 2

1. **what have you got to show me :** var. **what do you have to show me?** Ces deux expressions sont pratiquement synonymes, celle du dialogue est cependant davantage employée dans le style parlé et se réfère plutôt à une expérience unique alors que la forme présentant le présent simple est utilisée de préférence lorsqu'il s'agit d'un trait habituel (qu'est-ce que vous présentez toujours).
2. **range :** *gamme*. À retenir les locutions **top of the range :** *le haut de gamme* et **bottom of the range :** *le bas de gamme*.
3. **sample :** *échantillon* ; quelques expressions utiles contenant ce terme : **we prefer buying from sample :** *nous préférons acheter sur échantillon,* **the goods we received were not up to sample :** *la marchandise que nous avons reçue n'était pas conforme à l'échantillon*.
4. **would do well :** expression de style parlé ; dans un style plus relevé on dira... **would sell well**.
5. **is less expensive :** *est moins chère* ; comparatif d'infériorité qui se construit avec **less** + adjectif ; var. **is not as expensive :** *n'est pas aussi chère*.
6. **DIY :** mis pour **do it yourself** ; *bricolage*.
7. **wholesale price :** *prix de gros* ; **retail price :** *prix de détail*.
8. **you carry :** *vous êtes dépositaire* ; nous avons ici un emploi particulier du verbe **to carry** ; var. : **you stock**, **you sell**.
9. **lines :** *série d'articles* ; apparaît souvent dans des phrases telles que : **it is not one of our lines :** *nous ne faisons pas cet article*.

V ■ La vente

E1 EXERCICES

A) Traduire en anglais :

1) *Est-ce qu'on s'occupe de vous ?*
2) *Est-ce que vous cherchez quelque chose de particulier ?*
3) *Est-ce que vous voulez essayer ceci ?*
4) *Est-ce que vous voulez l'emporter ou voulez-vous qu'on vous l'envoie ?*
5) *Pouvez-vous m'en faire un paquet-cadeau ?*

B) Composer des phrases en anglais en utilisant l'expression **"I'm afraid..."** Exemple : **malt whisky/out of stock,** *I'm afraid malt whisky is out of stock.*

1) Our Purchasing Manager/in a meeting.
2) We don't need any more stock.
3) Expensive coats/difficult to sell.
4) The silk dress/not in the sale.
5) The wholesale price/too high for us.

CORRIGÉ

A)
1) Is anyone looking after you?
2) Are you looking for anything in particular?
3) Would you like to try this?
4) Do you want to take it with you or do you want it sent?
5) Can you gift wrap it (for me)?

B)
1) I'm afraid our Purchasing Manager is in a meeting.
2) I'm afraid we don't need any more stock.
3) I'm afraid expensive coats are difficult to sell.
4) I'm afraid the silk dress is not in the sale.
5) I'm afraid the wholesale price is too high for us.

VI ▪ Commande

A1 EXPRESSIONS

■ Parlées

1. Nous voudrions commander...
2. Nous voudrions vous passer commande de...
3. Après avoir étudié votre catalogue je voudrais commander...
4. Auriez-vous la possibilité de fournir... ?
5. Pourriez-vous nous faire parvenir... et nous les facturer comme convenu ? (US)
6. Les articles que nous désirons portent dans votre catalogue la référence n°7526/B.
7. Je voudrais avoir quelques précisions concernant la commande que vous nous avez envoyée.
8. Vous voudrez bien passer par M. Hervé Chan, notre représentant régional, pour commander ces articles.
9. Ces ... peuvent être fournis directement par notre grossiste qui se trouve dans votre capitale.

■ Écrites

10. Veuillez nous faire parvenir...
11. Suite à la visite de M. Sumoto, votre représentant, je désirerais passer commande de...
12. Nous joignons notre bon de commande n°...
13. Nous avons le plaisir de vous passer commande de... selon les caractéristiques que nous avons définies dans notre lettre du...
14. Nous vous confirmons par la présente notre commande par téléphone.
15. Nous vous remercions de la confiance que vous mettez dans nos produits.
16. Dans l'attente du plaisir de traiter à nouveau avec vous...
17. Votre commande est en cours d'exécution et nous vous enverrons notification dès qu'elle sera prête à l'envoi.
18. Nous sommes certains que la qualité de notre service vous satisfera (pleinement).

A2 PHRASES

▪ Spoken

1. We'd [1] like to order...
2. We'd like to place an order for...
3. I've looked through [2] your catalogue and would like to order...
4. Would you be able to supply...?
5. Could you send us... and bill us [3] as arranged? (US)
6. The items [4] we want are listed as No 7526/B in your catalogue.
7. I'd like to query a couple of points [5] on the order you sent us.
8. Please order these items through our local representative Mr Hervé Chan.
9. These... can be obtained directly from our stockist in your capital.

▪ Written

10. Please forward [6]/let us have...
11. Following [7] the visit of your representative Mr Sumoto, I would like to place an order for...
12. We attach our order form No...
13. We are pleased to place an order for... according to the specifications outlined in our letter of...
14. We are writing to confirm our telephone order.
15. Thank you for your confidence in our products.
16. We look forward to the pleasure [8] of doing business with you again.
17. Your order is being made up [9], we will advise [10] you when it is ready [11] for despatch.
18. We are sure you will be completely satisfied with the quality of our service.

VI ■ Ordering

B1 DIALOGUE

C. = Customer S. = Salesman

(over the coffee)

(C.) — ... Nice lunch Michel.

(S.) — Yes... Er... Did you get a chance [1] to look through the stuff I left you? [2]

(C.) — Yeah, matter of fact [3] I did ; say, can you tell me more about your control software?

(S.) — Sure. We've made quite a name for ourselves in control systems since we developed the Metrologica...

(C.) — And how do you see it being of use [4] to us in the plant?

(S.) — Well, Pete... with your need for high production volumes this would minimize downtime and mean that machine adjustment [5] could be done by the operator instead of by a specialized maintenance mechanic.

(C.) — Great! Look you're right about those high production volumes. I can see you have done your homework [6]. Right now [7] we're going over to three shifts and we can't afford [8] high levels of downtime.

(S.) — You need the DT52 software ; it'll pay for itself inside [9] 6 months.

(C.) — Well, OK, I'll give it a try.

(S.) — I'd suggest you order a set for just one of your lines so you can compare the increased productivity with the other lines.

(C.) — Seems a good idea. If we are happy with it we could install the software on all the lines.

(S.) — I have our order form here, if you'll just give me [10] a minute, I'll complete the details [11]. *(Later...)* If you'd just sign [12] here...

B2 DIALOGUE

C. = le client R. = le représentant

(au café)

(C.) — Pas mal ce déjeuner, Michel.

(R.) — Oui, euh... Est-ce que vous avez eu l'occasion de regarder les trucs que je vous ai laissés ?

(C.) — À vrai dire, oui, je les ai regardés ; dites, vous pouvez m'en dire plus, sur ces logiciels de commande ?

(R.) — Oui, bien sûr. Nous nous sommes fait une réputation dans les systèmes de commande depuis que nous avons sorti le Metrologica.

(C.) — Et de quelle façon pensez-vous qu'il pourrait nous servir à l'usine ?

(R.) — Eh bien, Pete, vous devez produire en grosses quantités, cela réduirait vos temps d'arrêt et permettrait à l'opérateur de régler les machines plutôt que de faire appel à un mécanicien spécialisé dans l'entretien.

(C.) — Formidable ! Écoutez, vous avez raison quand vous parlez de grosses quantités de production, je vois que vous avez étudié notre cas. En ce moment nous passons à trois équipes et nous ne pouvons pas nous permettre d'avoir des temps d'arrêt trop nombreux.

(R.) — Il vous faut le logiciel DT52 ; vous l'amortirez en moins de 6 mois.

(C.) — Bon, d'accord, je vais l'essayer.

(R.) — Je vous propose de commander un appareil pour une seule de vos chaînes ; vous pourrez ainsi comparer l'augmentation du rendement avec les autres.

(C.) — Ça me paraît intéressant. Si nous en sommes satisfaits, nous pourrons installer le logiciel sur toutes les chaînes.

(R.) — J'ai un bon de commande avec moi, si vous voulez m'accorder 5 minutes, je vais le remplir. *(Plus tard...)* Si vous voulez bien signer ici...

VI ▪ Commande

C1 REMARQUES SUR LES EXPRESSIONS (A1/A2)

1. **we'd :** contraction de **we would...**
2. **I've looked through :** *après avoir étudié...* différent de **leafed through** qui voudrait dire *feuilleter, regarder rapidement* et qui ne conviendrait pas ici.
3. **bill us :** US, *nous les facturer* ; retenez également **a bill :** *une facture.*
4. **items :** *articles* ; terme très général qui recouvre la paire de chaussettes aussi bien que les logiciels.
5. **query a couple of points :** *demander quelques précisions* ; **query** est de la même famille que **inquiry /inquire :** *demander des renseignements* ; **a couple**, littéralement : *deux,* est pris ici dans un sens plus vague.
6. **forward :** a, dans ce contexte, le sens d'*envoyer*, mais peut également être employé dans le sens de *faire suivre* (une lettre, un colis).
7. **following :** *suite à, comme suite à* ; tournure à retenir, se place souvent au début d'une lettre de relance/confirmation.
8. **we look forward to the pleasure of :** *dans l'attente du plaisir de* ; **to look forward to** est suivi d'un nom comme ici ou d'un verbe en **-ing** ; ex. : **we look forward to hearing from you.**
9. **is being made up :** *est en cours d'exécution* ; nous sommes ici en présence d'une voix passive à la forme progressive qui insiste sur le déroulement de l'action.
10. **will advise :** *enverrons notification* ; **to advise** a également le sens plus général de *conseiller.* À retenir aussi : **a piece of advice :** *un conseil.*
11. **when it is ready :** *dès qu'elle sera prête* ; souvenez-vous : pas de futur après **when** dans les phrases affirmatives.

C2 REMARQUES SUR LE DIALOGUE (B1/B2)

1. **chance :** *l'occasion* ; var. **the opportunity.** Attention aux faux amis !
2. **the stuff I left you :** *les trucs que je vous ai laissés.* Le pronom relatif **which/that** est souvent sous-entendu ; **stuff** : *trucs,* nom collectif singulier, à proscrire dans les lettres mais que l'on emploie dans un style parlé détendu ; **stuff** recouvre tout ce que l'on peut imaginer (affaires, choses, trucs, matière, produit, etc.)
3. **matter of fact :** *à vrai dire* ; raccourci de **as a matter of fact. Yeah** (US) est prononcé "yè-e".
4. **how do you see it being of use...? :** *de quelle façon pensez-vous qu'il pourrait nous servir ?* Traduction littérale de cette construction idiomatique où **it** (mis pour **Metrological**) est à la fois c.o.d. de **see** et sujet du verbe **be** en **-ing.**
5. **and mean that machine adjustment :** mot à mot : *et signifierait que le réglage des machines,* etc.
6. **you have done your homework :** *vous avez étudié notre cas* ; mot à mot : *vous avez fait vos devoirs* ; le client est impressionné.
7. **right now :** (US) ; **at the moment** (GB).
8. **we can't afford :** *nous ne pouvons pas nous permettre de* ; expression prise dans un sens général. On la trouve souvent dans le genre de contexte suivant : **we can't afford to buy these new machines.**
9. **inside :** (US) ; **in less than/within** (GB).
10. **if you'll give me :** *si vous voulez m'accorder* ; **will** n'a pas ici valeur de futur mais de bon vouloir.
11. **I'll complete the details :** *je vais le remplir* ; var. : **I'll fill it in** ; **details** est mis ici pour *renseignements, coordonnées.*
12. **you'd just sign : 'd** contraction de **would** est plus poli que **will**.

(placing an order - US)

April 2, 199-

Dear Mr Vasseur,
Following your faxed estimate of 18 March and our telephone conversation of 23 March, I have pleasure in enclosing our indent for 5 sealed generator units according to the agreed specifications. Delivery is required within 28 days.
Please arrange for the units to be delivered to our warehouse at Halberton and bill us at our main office at 477 West 74th Street, Chicago.
Sincerely,

Arnold P. Svenson
Procurement Department

(acknowledging an order - US)

April 12, 199-

Dear Mr Svenson,
It was a pleasure to receive your indent for 5 sealed generator units. I know that these will play an important part in your business development and we at Sénélec™ are proud that you chose us to supply you. You may be sure that our units will meet all the requirements of the high specifications you supplied.
I am pleased to welcome you as a customer of Sénélec™ and thank you sincerely for your confidence in our products.
Sincerely,

Georges Vasseur
Sales Executive

(passer commande - US)

2 avril 199-

Cher Monsieur,
Suite au devis que vous nous avez télécopié le 18 mars et à notre conversation téléphonique du 23 mars, j'ai le plaisir de joindre à la présente notre commande de 5 blocs générateurs hermétiques selon les caractéristiques dont nous avions convenu. Nous demandons leur livraison sous 28 jours.
Veuillez faire le nécessaire pour que les blocs soient livrés à notre dépôt de Halberton et veuillez nous envoyer la facture à notre bureau principal au 477 West 74 th Street, Chicago.
Nous vous prions d'agréer, cher Monsieur, l'expression de nos sentiments les meilleurs.

Le Service des Achats,
Arnold P. Svenson

(avis de réception d'une commande - US)

12 avril 199-

Cher Monsieur,
C'est avec plaisir que nous avons reçu votre commande de 5 blocs générateurs hermétiques qui, j'en suis sûr, joueront un rôle essentiel dans le développement de votre entreprise ; nous sommes très heureux ici à Sénélec® que vous nous ayez choisis comme fournisseurs. Soyez assurés que nos blocs répondront à toutes les exigences des caractéristiques de haut niveau que vous nous avez fournies.
Je suis heureux de vous compter parmi les clients de Sénélec® et vous remercie pour la confiance que vous mettez en nos produits.
Nous vous prions d'agréer, cher Monsieur, l'expression de nos sentiments sincères.

Le Chef des Ventes,
Georges Vasseur

E1 TELEXES

ATTN MS DEVAUX
REQUIRE 10 GROSS STAINLESS MARINE
12 MM HEX BOLTS CAN YOU AIRFREIGHT
REGARDS SAHID EL FAZAR AL DABI

ATTN PROCUREMENT
SURPRISED YOUR INDENT No 69699 PART
NUMBER CODE TY33822 NOT SUITABLE
YOUR MACHINES QUERY SHOULD TY33822
READ TY 38322? SINCERELY MEHRER.

PLEASE MODIFY OUR ORDER No 39393
ONE DOZ BARRELS MINERAL OIL SHOULD
READ ONE DOZ BARRELS SYNTHETIC OIL
APOLOGIES
HAGAN, VALPARAISO

ATTN MME DEVAUX
BESOIN 10 GROS BOULONS
HEXAGONAUX MARINE INOX - POUVEZ-
VOUS EXPÉDIER PAR AVION
CORDIALEMENT AL FAZAR AL DABI

ATTN ACHATS
SURPRIS VOTRE COMMANDE N°69699
N° RÉF. PIÈCE TY33822 NE CONVIENT PAS
VOS MACHINES TY33822 POUR TY 38322 ?
SALUTATIONS MEHRER

VEUILLEZ MODIFIER NOTRE COMMANDE
N°39393 REMPLACER 12 BARILS D'HUILE
MINÉRALE PAR 12 BARILS D'HUILE
DE SYNTHÈSE
EXCUSES HAGAN VALPARAISO

E2 EXERCICES

A) Traduire en anglais parlé :

1) *Vous voudrez bien passer par notre représentant à Shangai pour commander ces articles.*
2) *Pouvez-vous fournir une machine ?*
3) *Je voudrais avoir quelques précisions concernant la commande que vous nous avez passée.*
4) *Dans l'attente du plaisir de traiter à nouveau avec vous...*
5) *Je suis heureux de vous compter parmi les nouveaux clients de notre société.*

B) Complétez les phrases suivantes :

1) We will be making .... your order tomorrow.
   a) down, b) over, c) up, d) through
2) I have looked .... the brochure your sent.
   a) through, b) into, c) up, d) down
3) Please arrange .... the order to be delivered to our factory in Tanufi.
   a) over, b) to, c) up, d) for
4) We will forward .... the contract soon.
   a) to, b) (pas de postposition), c) through, d) up
5) I am looking forward .... the visit of your representative.
   a) up, b) to, c) for, d) (pas de postposition)

CORRIGÉ

A) 1) Please order these items through our representative in Shangai.
2) Can you supply a machine?
3) I would like to query a couple of points in the order you sent us.
4) I look forward to the pleasure of doing business with you.
5) I am happy to welcome you as a new customer of our company.

B) 1) c - 2) a - 3) d - 4) b (pas de postposition) - 5 b.

VII ▪ Livraison

A1 EXPRESSIONS

■ Parlées

1. Je vous appelle pour vous confirmer les dispositions prises pour la livraison de votre commande n° 8650 de...
2. Je vous téléphone pour savoir quand vous comptez expédier notre commande ?
3. Quand est-ce que vous comptez pouvoir livrer notre commande ?
4. Nous voudrions que le solde de notre commande soit expédié à (adresse).
5. Nous voudrions que les caisses soient livrées à la Zone Industrielle Dominion, Unit 4, Acton.
6. Est-ce que vous pourriez nous faire savoir quelles dispositions ont été prises en ce qui concerne la livraison de notre commande ?
7. Est-ce que vous pourriez expédier par voie aérienne le chargement à Kinshasa ?
8. Nous voudrions que vous fassiez le nécessaire pour effectuer la livraison par fret aérien.
9. Je vous appelle pour vous avertir que votre commande a quitté notre usine ce matin et devrait être chargée à bord du .... vendredi.

■ Écrites

10. Il ne nous est pas possible de vous donner une date de livraison ferme avant d'avoir reçu les documents.
11. Nos prix ne comprennent que la livraison par voie maritime, un supplément sera exigé pour l'expédition des marchandises par fret aérien.
12. Nous avons le regret de vous faire savoir qu'un retard est possible dans la livraison de votre commande en raison de...
13. Il est entendu que c'est vous qui vous chargez d'organiser la livraison.
14. Nous avons le plaisir de vous confirmer que la machine que nous avions commandée vient d'être livrée à nos bureaux.

A2 PHRASES

Spoken

1. I'm ringing [1] to confirm the arrangements for the delivery of our order No.8650 for ....
2. I'm phoning to enquire when you expect [2] to despatch our order?
3. When do you expect to be able to deliver our order?
4. We'd like the balance of the order to be sent [3] to (destination)...
5. We would like the cases to be delivered to Unit 4, Dominion Industrial Estate, Acton.
6. Could you let us know [4] what arrangements have been made [5] for the delivery of our order?
7. Could you deliver the load to Kinshasa by air?
8. We would like you to arrange for delivery by airfreight.
9. I am ringing to let you know that your order left our factory this morning and should be loaded [6] on the .... on Friday.

Written

10. We are unable to give a firm date for delivery until the documents are received.
11. Our price only covers delivery by sea, there will be an extra charge for airfreighting the goods.
12. We regret that we expect there to be a delay in delivery of your order due to ...
13. We understand that delivery is being arranged by yourselves [7].
14. We are happy to confirm that the machine which we ordered from you has just been delivered [8] to our offices.

B1 TELEPHONE DIALOGUE

— Hello, Sales, Grover speaking. How can I help?
— Oh, we ordered [1] 120 tonnes of dried silica sand last week — we'd like to modify the details of the order.
— Could you give me the order number please?
— X712466.
— X712466. Oh yes. From Réfractaires de la Vallée sarl. 120 tonnes dried silica loose, FOB Par Harbour, Cornwall.
— That's right. Well, we are getting rid of our sand hoppers and we'd like the sand packed in 200 kg drums loaded on heavy duty [2] pallets, 4 to a pallet. With our new system we'll be able to handle [3] them better that way.
— Yes, we can do that but I'm afraid there'll be a small packing charge of £2 per drum and a deposit of £5 per drum. Would you still want the drums loading [4] at Par?
— No, we'd like you to give us an ex-works [5] quote.
— Certainly, we can do that, you'll be able to keep your sand cleaner in drums — there's always a risk of contamination when the sand is transported loose. I'll get back to you [6] with the new price.
— OK.

(Later...)

— £9,640 ex-works? OK, I'll accept that.
— The new order number will be X712602. I'll send it off today.
— When can we collect the sand?
— Oh, 7 days after acknowledgement of receipt of order, we'll give you a ring when it's ready.

B2 DIALOGUE TÉLÉPHONIQUE

— Allô, service des ventes, ici Grover. Que puis-je pour vous ?

— Nous avons commandé 120 tonnes de sable de silice séché et nous voudrions modifier les modalités de la commande.

— Pourriez-vous me donner le numéro de la commande, s'il vous plaît ?

— X712466.

— X712466. Ah oui... en provenance des Réfractaires de la Vallée sarl... 120 tonnes de sable de silice en vrac FAB au port de Par, en Cornouailles.

— C'est cela. Eh bien, nous sommes en train de nous débarrasser de nos trémies à sable et nous voudrions que le sable soit conditionné en barils de 200 kg placés sur des palettes renforcées à raison de 4 par palette. Avec notre nouveau système, nous pourrons ainsi les déplacer plus facilement.

— Oui, nous pouvons faire cela, mais il y aura un petit supplément pour le conditionnement de £2 par baril et les barils seront consignés £5. Est-ce que vous voulez toujours que les barils soient chargés à Par ?

— Non, vous voudrions que vous nous donniez un prix départ usine.

— Oui, bien sûr, c'est possible, votre sable se gardera plus propre en barils. Il y a toujours un risque de détérioration quand on transporte le sable en vrac. Je vous rappelle pour vous donner le nouveau prix.

— OK.

(Plus tard...)

— £9 640 départ usine ? C'est entendu.

— Le nouveau numéro de la commande sera X712602. Je vous l'envoie aujourd'hui.

— Quand pouvons-nous venir charger le sable ?

— Oh, une semaine après l'avis de réception de la commande ; nous vous passerons un coup de téléphone quand ce sera prêt.

VII ▪ Livraison

C1 REMARQUES SUR LES EXPRESSIONS (A1 / A2)

1. **ringing :** var. **telephoning, phoning.** La postposition **up** n'est pas nécessaire (**ringing you up**) ici, alors qu'elle apparaîtra dans des phrases du type : **could you ring me up tomorrow?**
2. **expect :** *comptez* ; verbe fréquemment utilisé en correspondance mais aussi dans la langue parlée.
3. **to be sent :** *soit expédié* ; tournure infinitive après le verbe **like** (comme après tous les verbes indiquant un désir, une volonté, **wish, want**). Ici, comme dans la phrase suivante (**to be delivered**), l'infinitif est au passif : **be** + participe passé.
4. **let us know :** *nous faire savoir* ; également phrase 9, **let you know,** *avertir* ; mot à mot, *vous laisser savoir.*
5. **have been made :** remarquez l'emploi fréquent de la voix passive dans les relations commerciales, ceci pour rendre le style impersonnel.
6. **should be loaded :** *devrait être chargée* ; le modal **should** est associé au verbe pour lui donner une notion d'incertitude.
7. **is being arranged by yourselves :** encore un exemple du passif (progressif ici) suivi d'un complément d'agent (**by yourselves**) que l'on préférera à la tournure active, **you are arranging delivery yourselves**, qui serait trop directe dans le contexte d'une correspondance commerciale.
8. **has just been delivered :** *vient d'être livrée* ; passé immédiat construit à l'aide de l'auxiliaire **have** + **just** + participe passé, ici le verbe est au passif. D'autres exemples : **we have just received your order for..., your order has just left our factory.**

C2 REMARQUES SUR LE DIALOGUE (B1/B2)

1. **ordered :** *avons commandé* ; le prétérit est obligatoire ici, en raison de la présence de **last week** qui date l'action dans le passé. Dans d'autres contextes, lorsqu'il n'y a pas d'indication de date précise, le present perfect ou le prétérit s'emploieraient indifféremment : **we have ordered.**
2. **heavy duty :** *renforcées* ; on rencontre souvent dans la langue commerciale le terme **duty/duties** pris dans le sens de *droits* (**duty-free, customs duties**...). Nous avons ici un sens totalement différent qui se traduit en français par *renforcé, résistant* (**heavy-duty carpet** est un autre exemple).
3. **handle :** ici, *déplacer*. Le sens général de ce terme étant *manœuvrer, manier*. Retenez également le substantif **handling :** *manutention*.
4. **want the drums loading :** cette tournure n'apparaît que dans un anglais de style parlé ou de style relâché, les puristes la trouveront grammaticalement peu académique. En effet, **loading** correspond à un sens passif et la forme correcte devrait être : **loaded / being loaded** (à la forme progressive).
5. **ex-works :** *départ usine* ; **works** comporte toujours un **s** final dans le sens qui nous occupe ici, c'est-à-dire *usine, installations* ; autre exemple : **a steel works :** *une aciérie*.
6. **I'll get back to you :** *je vous rappelle*, expression de style parlé construite sur le verbe **to get** (qui recouvre un champ d'emploi très large), suivi des deux postpositions. **Back : I'll ring you back, I'll give you a ring, I'll call you back** sont autant de variantes possibles ; notez à nouveau, ici, l'emploi du futur simple.

VII ▪ Delivery

D1 SOME TELEXES

WE CONFIRM OUR TELEPHONE
CONVERSATION OF YESTERDAY 19 JUNE
GOODS TO BE COLLECTED AT FACTORY BY
ETS BEAUSOIR 25 JUNE LATEST PLEASE
ADVISE THIS OFFICE DATE OF COLLECTION.
REGARDS.

YOUR ORDER No TY 57522 CRATES SHIPPED
YESTERDAY 4 JUNE SS HIGHLIFE SAILING
TODAY. REGARDS.

ATTN MME POURPOINT
OUR ORDER No 3938 G. PLEASE DELIVER THE
GOODS TO RAILHEAD AT*** WHERE WE
HAVE ARRANGED FOR THE SHIPMENT TO BE
COLLECTED BY JONES TRANSPORT. SINCERELY.

GENTLEMEN YOUR GOODS READY FOR
SHIPMENT PLEASE ADVISE YOUR
INSTRUCTIONS FOR TRANSPORT. SINCERELY.

ATTN MR LIEBER
OUR ORDER No 20812 15 MOUNTAIN BIKES
PLEASE PACK IN PLASTIC FILM AND CRATE
FOR STORAGE HUMID CONDITIONS. YOURS
SINCERELY.

D2 QUELQUES TÉLEX

CONFIRMONS NOTRE CONVERSATION TÉLÉPHONIQUE HIER 19 JUIN MARCHANDISES À ENLEVER À L'USINE PAR ETS BEAUSOIR 25 JUIN AU PLUS TARD VEUILLEZ NOTIFIER DATE AU BUREAU. SALUTATIONS.

VOTRE COMMANDE N° TY 57522 CAISSES MISES À BORD HIER 4 JUIN DÉPART VAPEUR HIGHLIFE AUJOURD'HUI. SALUTATIONS.

ATTN MME POURPOINT
NOTRE COMMANDE N° 3928 G VEUILLEZ LIVRER MARCHANDISES AU DÉPOT À*** Y AVONS FAIT NÉCESSAIRE POUR QUE L'ENVOI SOIT PRIS EN CHARGE PAR LES TRANSPORTS JONES.
MEILLEURS SENTIMENTS.

MESSIEURS VOS MARCHANDISES PRÊTES À L'ENVOI VEUILLEZ NOUS TRANSMETTRE VOS INSTRUCTIONS POUR LE TRANSPORT.
MEILLEURS SENTIMENTS.

ATTN MR LIEBER
NOTRE COMMANDE N° 20812 15 VÉLOS CROSS VEUILLEZ EMBALLER SOUS PELLICULE PLASTIQUE ET DANS CAISSES POUR ENTREPOSAGE À L'HUMIDITÉ.
SENTIMENTS LES MEILLEURS.

VII ▪ Livraison

E1 VOCABULAIRE COMPLÉMENTAIRE

EMBALLAGE ET TRANSPORT

à l'épreuve des chocs	shock proof
caisse à claire-voie	crate
envoi	consignment
expéditeur	consignor
carton	cardboard
charger	to load
en conteneur	containerised
décharger	to unload
destinataire	consignee
dimensions	dimensions
empiler	to stack
envelopper / emballer	to wrap, to pack
expédier	to ship
fût	drum
indéformable	crushproof
livrer	to deliver
livraison	delivery
expédier	to despatch
manutention	handling
mettre en caisse	to box
note / liste de colisage	packing note
poids, poids brut, poids net	weight, gross weight, net weight
polystyrène expansé	expanded polystyrene
pellicule plastique	plastic film
port	carriage
port payé	freight prepaid
sacs en papier	paper bags
sacs	sacks / bags
conteneur frigorifique	refrigerated container
rembourrage	padding
scellé	sealed
imperméable	waterproof
étiqueté	labelled
volume	volume
en vrac	loose / in bulk

E2 EXERCICES

A) Traduire les phrases suivantes :

1) *Je vous téléphone pour savoir quand vous comptez pouvoir livrer notre commande.*
2) *Nous voudrions que le solde de la commande soit livré à notre usine.*
3) *Il est entendu que c'est vous qui vous chargez d'organiser la livraison.*
4) *Nous voudrions modifier les modalités de notre commande.*
5) *Pourriez-vous me donner le numéro de votre commande ?*

B) Les phrases suivantes sont à la voix passive. Pouvez-vous les compléter ?

1) I expect the order (to send) to you tomorrow.
2) The order should (to deliver) to our offices in Palermo.
3) Can you confirm that delivery (is) (to arrange) by yourselves?
4) Remember that we want the pallets (to stack).

CORRIGÉ

A)
1) I'm telephoning to enquire when you expect to be able to deliver our order?
2) We'd like balance of our order to be delivered to our factory.
3) We understand that delivery is being arranged by yourselves.
4) We'd like to modify the details of our order.
5) Could you give me your order number please?

B)
1) I expect the order to be sent to you tomorrow.
2) The order should be delivered to our offices in Palermo.
3) Can you confirm that delivery is being arranged by yourselves?
4) Remember that we want the pallets to be stacked.

VIII ▪ Facturation

A1 EXPRESSIONS

■ Parlées

1. Est-ce qu'il vous serait possible de nous télécopier une facture pro-forma aujourd'hui ?
2. Est-ce que vous pourriez nous dire de quelle façon vous comptez payer la facture ?
3. Je voudrais avoir quelques précisions sur un point de la facture que vous nous avez envoyée récemment.
4. Est-ce que vous pourriez me dire pour quelle raison il y a un supplément pour « conditionnement spécial » ?
5. Je voudrais savoir pourquoi vous avez ajouté la TVA/taxe à l'achat à votre facture.
6. La somme figurant sur votre facture est beaucoup plus élevée que le prix que vous nous indiquez sur votre lettre.
7. Nous avons fait le nécessaire auprès de la banque*** pour effectuer le règlement.
8. Je vous appelle au sujet d'une erreur dans votre lettre de crédit ; à cause de cela il ne nous a pas été possible d'échanger les documents à la banque.

■ Écrites

9. Nous avons pris les dispositions suivantes pour effectuer le règlement : ...
10. Ce compte est exigible avant le (date).
11. Nous vous retournons ci-joint votre facture, nous vous saurions gré de bien vouloir nous en délivrer une autre faisant figurer la somme correcte.
12. Les marchandises seront mises à votre disposition dès que le règlement aura été effectué dans sa totalité.
13. Nous faisons le nécessaire pour que la somme de $ 75 788 soit créditée à votre compte de la banque Narodny.
14. Nous vous envoyons ci-joint un exemplaire de la facture portant la mention « payé ».
15. D'après nos documents, notre facture reste à ce jour impayée.
16. Cette somme reste à payer.

A2 PHRASES

■ Spoken

1. Do you think you could [1] fax a pro-forma invoice to us today?
2. Could you tell us what arrangements you will be making [2] to pay the invoice?
3. I'd like to query an item on the invoice you sent us recently.
4. Could you tell my why there is a charge for "special packing"?
5. I wanted to know why you've added VAT [3] (local sales tax) to the invoice?
6. The amount shown [4] on your invoice is much higher than [5] the figure you quoted in your letter.
7. We have arranged payment through the *** Bank.
8. I'm telephoning to say that there was an error in your letter of credit and so we were unable to exchange documents at the bank.

■ Written

9. The following arrangements have been made [6] for payment: ...
10. This account is payable by...
11. We are returning your invoice herewith [7] and would be pleased if you would issue one for the correct amount.
12. Goods will be released to you [8] on payment of the full amount.
13. We are arranging for the sum of $75,788 to be transferred to the Narodny Bank for your credit.
14. We enclose your copy of the invoice marked "paid".
15. Our records show that our invoice is still unpaid.
16. This amount is still outstanding.

VIII ▪ Invoicing

B1 TELEPHONE DIALOGUE

— Hello.

— Hello, Grampian Surgical Supplies here. What can we do for you?

— I'd like the accounts department please, I have a query about an invoice.

— Oh, you want Mr Gordon in Invoicing [1], just a minute [2] please.

— Invoicing. Mr Gordon. Can I help?

— Yes, this is the Pharmacie Centrale de Bruxelles. We ordered [3] some scalpels from you in October and we've just received [4] the invoice [5].

— Oh yes, wasn't it invoice No 268182?

— That's right. I'm director of the Service Achats Hôpitaux. I was surprised to see that the invoice included 2 dozen [6] support tights — we didn't order them, I've checked with our order.

— Oh, I'm sorry about that. Could you tell me exactly what items you did order [7]? ... Thank you, I'll look into this and ring you back in a few minutes — are you on 1 248 587?

— That's right.

(Later...)

— Hello, Mr Gilot. I've checked that invoice for you, you're quite right, we've invoiced you for 2 dozen support tights that were for another customer. I apologize [8] for the mistake, we'll be sending you a new invoice within a few days.

— Ah good, thank you, I'll arrange for it to be paid by bank transfer as usual. While I'm on the line could you transfer me to the Sales Department, I'd like to make inquiry about your new sterilisers.

— Sales? My pleasure. Goodbye Mr Gilot and once again, my apologies for the mistake. I'll transfer you to Sales now.

B2 DIALOGUE TÉLÉPHONIQUE

— Allô ?

— Allô, ici les équipements médicaux Grampian à votre service.

— Je voudrais votre service comptable s'il vous plaît, je voudrais des précisions au sujet d'une facture.

— Ah, vous voulez M. Gordon à la facturation, un moment s'il vous plaît.

— Facturation, Mr Gordon. Est-ce que je peux vous renseigner ?

— Oui, ici la Pharmacie Centrale de Bruxelles. Nous avons commandé des bistouris chez vous en octobre et nous venons de recevoir la facture.

— Ah oui, ce n'était pas la facture n° 268782 ?

— C'est cela même. Je suis le directeur du service achats hôpitaux. J'ai été étonné de voir que la facture comprenait deux douzaines de bas à varices que nous n'avions pas commandées. J'ai vérifié avec notre commande.

— Oh, j'en suis désolé. Pouvez-vous me donner le détail des articles que vous avez en fait commandés ? ... Merci, je vais me renseigner là-dessus et je vous rappelle dans un instant... Vous êtes bien au 1 248 587 ?

— C'est cela.

(Plus tard...)

— Allô, M. Gilot. J'ai vérifié cette facture, vous avez parfaitement raison ; nous vous avons facturé 2 douzaines de bas à varices qui étaient destinées à un autre client. Je vous prie de nous excuser pour cette erreur ; nous vous enverrons une nouvelle facture sous quelques jours.

— Bon, merci, je vais faire le nécessaire pour qu'elle soit réglée par virement bancaire comme d'habitude. Pendant que je suis en ligne, pourriez-vous me mettre en communication avec le service des ventes, je voudrais me renseigner sur vos nouveaux stérilisateurs.

— Les ventes ? Bien sûr. Au revoir M. Gilot, mes excuses à nouveau pour l'erreur. Je vous passe les ventes tout de suite.

C1 REMARQUES SUR LES EXPRESSIONS (A1/A2)

1. **do you think you could...? :** *est-ce qu'il vous serait possible de... ?* ; cette formule de politesse de style parlé, fréquemment employée lorsque l'on exprime une requête, est plus polie que **could you?**
2. **what arrangements you will be making? :** *de quelle façon vous comptez...* Nous avons ici une phrase de style indirecte où **what** perd sa valeur d'interrogatif ; le reste de la phrase est donc affirmatif, l'interrogation portant uniquement sur le début : **could you tell us what terms...?** Autre exemple : **will you let us know what terms you are offering?**
3. **VAT (Value Added Tax) :** *taxe à la valeur ajoutée.*
4. **shown :** *figurant* ; **shown** est en fait le participe passé irrégulier du verbe **show** ; **which is** est sous-entendu (**the amount which is shown**...).
5. **higher than :** *plus élevée que* ; comparatif de supériorité de l'adjectif court **high**. Avec un adjectif long le comparatif se forme avec **more** + adj + **than** ; exemple : **the item we received was more expensive than the one in your catalogue.**
6. **have been made :** *nous avons pris* ; littéralement, *ont été prises.* Encore un exemple de passif que l'on rencontre si souvent en correspondance commerciale.
7. **herewith :** *ci-joint* ; littéralement, *avec ceci.* Le mot **herewith** est de moins en moins employé de nos jours ; il est souvent remplacé par une expression plus courte ou par **enclose, enclosed** ou **attach, attached.**
8. **...goods will be released to you :** *les marchandises seront à votre disposition* ; var., **we are holding the goods at your disposal.**

C2 REMARQUES SUR LE DIALOGUE (B1/B2)

1. **invoicing :** *facturation* ; **department** est sous-entendu.
2. **just a minute :** *un moment* ; var., **please hold, will you hold the line please?**
3. **ordered :** *avons commandé* ; le prétérit est obligatoire dans cette phrase, l'action étant datée (**in October**).
4. **we've just received :** passé immédiat qui en anglais britannique se construit avec l'auxiliaire **have**. Par contre on le trouvera sous la forme **we just received** en anglais américain.
5. **the invoice :** *la facture* ; var. (US) **the bill**, qui en anglais américain a le sens à la fois d'*addition (synonyme de* **check**) et de *facture.* En anglais britannique, **bill** est en général réservé pour l'*addition.* Retenez également le verbe employé plus bas dans le dialogue, **we've invoiced you for... :** *nous vous avons facturé...*
6. **2 dozen :** *deux douzaines* ; remarquez que **dozen** (comme **hundred** et **thousand**) ne s'accorde pas lorsqu'il est précédé d'un chiffre ou d'un adjectif indéfini (**a few, some**) mais on aura : **there were dozens of them.**
7. **you did order :** *vous avez en fait commandé* ; nous sommes ici en présence de la forme d'insistance (la forme neutre serait **you ordered**). Elle se construit avec l'auxiliaire **do**, au temps de la phrase (ici le prétérit) sur lequel porte l'accent emphatique.
8. **I apologize for... :** *je vous prie de nous excuser...* ; notez l'emploi de la préposition **for** lorsque le verbe est suivi d'un complément ; variante possible que l'on trouve plus bas : **my apologies for the mistake.**

Dear Sir,

Indent No 774826 - 8 pumping units model 55 / TD

Thank you for the above order which is now being prepared for shipment.

I have pleasure in enclosing our invoice No 042262 for the sum of FF 720,466. This includes a small charge for the extra protection required when the pallets are transported as deck cargo.

We would be obliged if you would arrange for this invoice to be paid as soon as possible in order that we may have the goods shipped to Stockholm.

Yours faithfully,

Paula Harvey,
Accounts Department

Enc: Invoice No 042262

Monsieur,

Ordre d'achat N° 774826 - 8 pompes
modèle 55 TD

Nous vous remercions pour la commande ci-dessus qui est en cours d'exécution.

J'ai le plaisir de vous envoyer ci-joint notre facture n° 042262 d'un montant de 720 466 F qui comprend un supplément modique pour la protection renforcée exigée lorsque les palettes sont transportées sur le pont.

Nous vous serions reconnaissants de bien vouloir faire le nécessaire pour régler la facture aussitôt que possible afin que nous procédions à l'expédition des marchandises à destination de Stockholm.

Je vous prie d'agréer, Monsieur, mes sentiments les meilleurs.

Paula Harvey,
Service facturation.

P.J. : facture n° 042262

E1 VOCABULAIRE COMPLÉMENTAIRE

avis de crédit	credit note
avis de versement	remittance advice
contre paiement de...	against payment of...
copie client	customer copy
en paiement de...	in settlement of...
facture acquittée	receipted invoice
facture impayée	unpaid bill / invoice
facture pro-forma	proforma invoice
montant à payer	amount outstanding / sum outstanding
paiement	payment / settlement
paiement à la commande	cash with order (CWO)
paiement à la livraison	cash on delivery (COD)
paiement contre documents	payment against documents
règlement intégral	payment in full
régler une facture	to settle a bill
relevé de compte	statement of account
solde dû	balance due
verser des arrhes	to pay a deposit

Comment écrire les chiffres en anglais

1) Les numéraux sont invariables lorsqu'ils sont précédés par un autre adjectif ; **five million, three hundred, a few thousand.**

2) Lorsque les sommes comportent des décimaux, $ 15.60, par exemple, **and** apparaît dans les écritures (chèque, facture, avis de crédit, etc.) : $ 15.60, **fifteen dollars and sixty cents.**

3) Pour énoncer les nombres au-delà de 100, l'emploi de **and** est obligatoire dans la langue parlée comme dans la langue écrite : **three hundred and twenty six (326), four thousand three hundred and twenty six (4,326).**

E2 EXERCICES

A) Traduire en anglais :

1) *Est-ce qu'il vous serait possible de nous télécopier une facture ?*
2) *Je vous appelle au sujet d'une erreur dans votre lettre de crédit.*
3) *Nous avons pris des dispositions pour effectuer le règlement.*
4) *Je voudrais des précisions au sujet d'une facture.*
5) *Mes excuses pour l'erreur.*

B) Écrire les chiffres suivants en toutes lettres :

1) £20.05
2) $201
3) ¥311
4) £7,482
5) 376 224,87 F

CORRIGÉ

A)
1) Do you think you could fax us an invoice? / Could you fax us an invoice?
2) I'm telephoning to say that there was an error in your letter of credit. / I'm telephoning about an error in your letter of credit.
3) We have made arrangements for payment. / We have made arrangements for payment to be made.
4) I have a query about an invoice.
5) I apologize for the error.

B)
1) Twenty pounds and five pence.
2) Two hundred and one dollars.
3) Three hundred and eleven yen.
4) Seven thousand four hundred and eighty two pounds.
5) Three hundred and seventy six thousand two hundred and twenty four francs and eighty seven centimes.

IX ▪ Transport

A1 EXPRESSIONS

■ Parlées

1. Nous voulons organiser le transport d'un chargement de... à destination de... par voie maritime / ferrée / aérienne.
2. Le transport est généralement effectué par voie maritime ; il y aurait un supplément à prévoir pour l'expédition des marchandises par voie aérienne.
3. Quand voulez-vous qu'on enlève le chargement ?
4. Pouvez-vous nous dire si les boîtes seront empilées sur des palettes ?
5. Est-ce que vous avez un chariot élévateur sur place ?
6. Notre conducteur aura besoin d'aide pour charger les caisses.
7. Je voudrais organiser le transport d'un envoi de pièces de machines pour un client à Bordeaux.
8. Votre commande a été enlevée / prise / chargée à bord du *SS Venus* cet après-midi et doit quitter... le 16.
9. Nous avons de l'espace disponible sur notre camion frigorifique / camion porte-conteneurs.
10. La marchandise qui vous est destinée a été chargée en pontée et devrait arriver aux docks de Trinité le 15 février.
11. Le *SS Liberty* devrait arriver le 6 septembre.
12. Le vapeur est en train d'embarquer la cargaison et partira le 15 mai.
13. La marchandise est périssable et le transport sous réfrigération sera nécessaire.
14. Quelle est la date / l'heure limite du chargement du *SS Rex* ?
15. Nous voudrions avoir des renseignements sur vos vols commerciaux à destination de Bogota.

A2 PHRASES

Spoken

1. We want to arrange for [1] a load of... to be taken to... by ship / rail / air.
2. Transport is usually arranged by sea, there would be an extra charge for airfreighting the goods.
3. When do you want us to pick up the load?
4. Can you tell us whether the boxes [2] will be stacked on pallets?
5. Do you have a forklift truck on the premises [3]?
6. Our driver will need help to load the crates.
7. I'd like to arrange for a consignment of machine parts to be shipped to a customer in Bordeaux.
8. Your order was picked up / collected / loaded on board the *SS Venus* this afternoon and is due to leave [4] on the 16th.
9. We have space available on our refrigerated lorry / container lorry.
10. Your goods were loaded as deck cargo and should arrive at Trinidad Docks on the 15 February.
11. The *SS Liberty* should dock [5] on 6 September.
12. The ship is accepting cargo and will sail on 15 May.
13. The goods are perishable and will require [6] to be transported under refrigerated conditions.
14. When does the *SS Rex* close for cargo?
15. We would like information about your cargo flights to Bogota.

B1 TELEPHONE DIALOGUE

— Hello? I've been told [1] that you do a regular run [2] to Pamplona...

— Yes that's right. Have you got something for us?

— Yeah, we're supplying a large consignment of leather jackets to a big store in Bristol and wondered whether you'd be able to help us?

— Hang on a minute [3], I'll put you through to Mr Brown, our Transport Manager...

— Good day Sir, I'm told [4] you might have a load for us?

— Yes that's right. I heard that you have a regular run down to Pamplona and wondered whether you might be looking for a return load to be dropped off in Bristol?

— Well, we're always on the lookout [5] for a return load and our rates for this type of business are very competitive, when would you want the load collecting [6]?

— Within two weeks.

— Two weeks? *(Consults his computer.)* Yes we could do that. How big is the load [7]?

— About 24 cubic metres, they'll be packed in cardboard boxes which will be stacked on three pallets.

— Oh that's a part load then... Yes we can do that, our rate is £15-20 per cubic meter for return loads and we guarantee delivery within 48 hours of collection in Europe.

— Do you? That's pretty good. Can you pick it up at our factory in San Escatura and deliver it to Bristol? I'll fax you the details, the papers will be ready for your driver when he picks up the load. OK?

— OK, thanks very much.

B2 DIALOGUE TÉLÉPHONIQUE

— Allô ? On m'a dit que vous avez une liaison régulière pour Pampelune.

— Oui. C'est juste. Est-ce que vous avez quelque chose pour nous ?

— Oui, nous fournissons un lot important de vestes de cuir à un grand magasin de Bristol, peut-être est-ce que vous pourriez nous aider ?

— Deux secondes, je vous passe notre directeur des transports, M. Brown.

— Bonjour monsieur, on me dit que vous avez peut-être un chargement pour nous ?

— Oui, c'est ça. J'ai entendu dire que vous descendiez régulièrement à Pampelune. Peut-être cherchez-vous du fret de retour que vous pourriez livrer à Bristol ?

— Nous sommes toujours à la recherche de frets de retour et nos tarifs pour ce genre d'affaires sont très concurrentiels. Quand voudriez-vous qu'on enlève le chargement ?

— Dans les deux semaines à venir.

— Deux semaines ? (Il consulte son ordinateur.) Oui, nous pouvons arranger ça. Quelles sont les dimensions du chargement ?

— Environ 24 m^3. Elles sont emballées dans des boîtes en carton qui seront empilées sur 3 palettes.

— Ah, c'est une charge de détail. Oui, nous pouvons arranger ça, notre tarif est de £15-20 le m^3 pour les frets de retour et nous garantissons la livraison dans les 48 heures qui suivent la prise en charge en Europe.

— Vraiment ? Ce n'est pas mal. Est-ce que vous pouvez l'enlever à notre usine à San Escatura et le livrer à Bristol ? Je vous télécopie les coordonnées, les documents attendront votre conducteur quand il enlèvera le chargement. Entendu ?

— Entendu, merci bien.

C1 REMARQUES SUR LES EXPRESSIONS (A1/A2)

1. **arrange for... to be taken to... :** *organiser le transport de... à destination de...* Structure qui revient souvent dans le contexte du transport de marchandises ; **to arrange for,** qui apparaît dans d'autres chapitres (« livraison », « facturation »), a le sens de *faire le nécessaire, prendre des dispositions pour...* Ici encore, remarquer l'usage du passif **(to be taken to)**, qui rend le style plus neutre.
2. **whether the boxes :** *si les boîtes* ; var., **if the boxes** ; une nuance cependant entre les deux formes, **whether** comportant une négation, sous-entendue ici mais qui peut apparaître dans d'autres contextes ; ex. : **I don't know whether or not the machines will be airfreighted.**
3. **on the premises :** *sur place.* Terme souvent employé dans l'industrie et le commerce, désigne les lieux d'opération, de fabrication ; ex. : **the products we market are made on our own premises.**
4. **is due to leave :** *doit quitter* ; **to be due (to)**, dans un de ses sens, s'utilise souvent dans les phrases relatives au transport, aux déplacements. Autres exemples fréquents : **I am due there next week :** *je dois être là-bas la semaine prochaine,* **the goods are due to leave tomorrow :** *la marchandise doit partir demain.*
5. **should dock / is expected to arrive :** *devrait arriver* ; sont synonymes de **are due to arrive**, avec cependant une nuance, **should** et **expected to** comportant un certain degré d'incertitude.
6. **will require :** *sera nécessaire* ; mot à mot, *demandera à...*

C2 REMARQUES SUR LE DIALOGUE (B1/B2)

1. **I've been told :** *on m'a dit* ; la voix passive est souvent utilisée dans les contextes où le français emploie le pronom impersonnel *on*. Un autre exemple courant en correspondance commerciale, **we have been sent the wrong part :** *on nous a envoyé la pièce qui ne convenait pas.*
2. **you do a regular run :** *vous avez une liaison régulière pour...* ; les expressions **to do a run** ou **to run something to** se rencontrent le plus souvent dans des phrases de style parlé ; exemple, **we'll run the goods to the airfreight terminal :** *nous porterons la marchandise en camion au terminal commercial.*
3. **hang on a minute :** *attendez un moment.* Le style est ici assez familier ; les formules d'usage seraient : **just a moment please, will you hold on, will you hold.**
4. **I'm told :** *on me dit* ; cf. note 1 ; **I've been told** *(on m'a dit)* mais ici à la voix passive et au présent. Au prétérit on aura **I was told** (*on m'a dit* lorsque l'événement est daté), au past perfect **I had been told** *(on m'avait dit).*
5. **on the lookout for :** locution synonyme du verbe **to look for.**
6. **want the load collecting? :** *qu'on enlève le chargement ?* La forme correcte serait **want the load to be collected.**
7. **how big is the load? :** *quelles sont les dimensions du chargement ?* Retenez cette construction qui est utilisée avec des adjectifs tels que **big, heavy, high, large, far**... Autre exemple, **how far is your factory from the terminal? :** *à quelle distance votre usine se trouve-t-elle du terminal ?*

D1 CORRESPONDENCE

1. LETTER OR FAX

Dear Sir,

We are pleased to be able to offer you space on our weekly run from Perpignan to Liverpool passing through Le Havre and Southampton.
A weekly run will be carried out by one of our new refrigerated lorries and perishable loads of all sizes will be welcome.
For further details contact Régine on
(1) 45 76 34 93

Yours faithfully,

Dear Mr Scott,

Thank you for your inquiry, we have the following available for hire : a Volvo truck with flatback trailer and tarpaulin from 10 November. The vehicle can be collected from Limombo port. The daily hire rate is .... dollars including insurance. I will call you tomorrow to discuss details.
Sincerely yours,

Serge Baudoin

2. TELEX

CONFIRM ACCEPTANCE YOUR QUOTE LOAD
AWAITS COLLECTION OUR DEPOT
DOCUMENTS READY NOW GILLES

D2 CORRESPONDANCE

1. LETTRE OU FAX

Monsieur,

Nous avons le plaisir de vous informer que nous avons de l'espace disponible sur notre liaison hebdomadaire Perpignan-Liverpool qui passe par Le Havre et Southampton. Un de nos camions frigorifiques effectuera une liaison hebdomadaire et nous serions heureux de prendre en charge des chargements de toutes tailles.
Pour plus de renseignements prendre contact avec Régine au (1) 45 76 34 93

Nous vous prions ...

Cher Monsieur,

Nous vous remercions de votre lettre ; nous proposons en location le véhicule suivant : un camion Volvo avec plate-forme et bâche à partir du 10 novembre. Ce véhicule est disponible au port de Limombo. Le prix de la location est de .... dollars à la journée, assurance comprise. Je vous appellerai demain pour arrêter les arrangements.

Veuillez recevoir ...

Serge Baudoin

2. TÉLEX

CONFIRMONS ACCEPTATION VOTRE DEVIS CHARGEMENT PRÊT ENLEVER À NOTRE DÉPÔT DOCUMENTS PRÊTS CETTE HEURE GILLES

IX ▪ Transport

E1 VOCABULAIRE COMPLÉMENTAIRE

affréteur	carrier
avis d'expédition	advice note
bon de livraison	delivery note
camion	lorry, truck (US)
camion frigorifique	refrigerated lorry
camion-tracteur	tractor unit
chargement	load, shipment (US)
charger	to load, ship (US)
connaissement	bill of lading
date limite de livraison	delivery deadline
débarquer	to unload, to land
destinataire	consignee
emballage	packing
emballer	to pack
entreposage	warehousing
envelopper	to wrap
enlever	to pick up, to collect
envoi	consignment/shipment
envoyer	to despatch
expédier	to ship (US), to despatch
camion plate-forme	flat back
lettre de transport	way bill
manutention	handling
palettiser	to palletise
semi-remorque	artic (articulated lorry) tractor-trailer (US)
stockage	storage
stocker	to store, to warehouse

E2 EXERCICES

A) Traduire les phrases suivantes :

1) *Je voudrais organiser le transport d'un chariot élévateur à destination de... par route.*
2) *Quand voulez-vous qu'on enlève le chargement ?*
3) *La marchandise est périssable.*
4) *Les documents seront prêts demain.*
5) *Le navire doit quitter le port le 16 juin.*

B) Traduire les phrases suivantes :

1) *On m'a dit que le navire part demain.*
2) *On n'a pas posé les marchandises sur palettes.*
3) *On nous a demandé un camion frigorifique.*
4) *On nous a envoyé un avis d'expédition mais c'est nous qui nous chargeons du transport.*
5) *On ne nous a pas donné les dimensions du chargement.*

CORRIGÉ

A) 1) I'd like to arrange for a fork lift truck to be transported by road to ....
2) When do you want us to pick up the load?
3) The goods are perishable.
4) The papers will be ready tomorrow.
5) The boat is due to leave the port on the 16 June.

B) 1) I've been told that the boat leaves tomorrow.
2) The goods haven't been put on palletts.
3) We have been asked for a refrigerated lorry/truck.
4) We have been sent an advice note but we are arranging the transport (ourselves).
5) We haven't been given the size of the load (we haven't been told how big the load is).

X ▪ Assurance

A1 EXPRESSIONS

■ Parlées

1. Nous voulons une assurance pour un envoi de ...
2. Est-ce que vous pouvez assurer le transport de ...
3. Est-ce que vous pourriez nous indiquer votre taux de prime pour couvrir contre tous risques un envoi de ...
4. Je vous appelle pour vous faire savoir que la marchandise qui était couverte par votre police n°6947238120 a été volée.
5. Nous avons les coordonnées et nous vous délivrerons immédiatement une note de couverture.
6. Votre numéro de police est le ...

■ Écrites

7. Veuillez couvrir... contre tous risques.
8. La prime sera à la charge du destinataire.
9. Nous effectuerons régulièrement des envois et nous voudrions une police ouverte.
10. Les boîtes ont été fracturées au cours d'un arrêt la nuit et les articles dont voici la liste ont été volés... la police en a été informée.
11. Les caisses ont subi des dégâts au cours de leur déchargement de la cale à ...
12. Le chargement de pontée a été contaminé par l'eau de mer.
13. Les mouvements du chargement ont causé des dégâts aux ...
14. Du gazoil a coulé dans le container et a endommagé le ...
15. Bien que les caisses aient porté la mention « à entreposer à l'abri », elles ont été empilées en plein soleil et leur contenu a commencé à se décomposer.
16. Nous sommes prêts à vous indemniser pour la totalité de la perte.
17. Notre camion est tombé en panne et le chargement réfrigéré s'est décongelé.

A2 PHRASES

Spoken

1. We're wanting[1] cover for a consignment of ...
2. Can you insure us for[2] the transport of ...
3. Could you quote us a rate[3] for the insurance against all risks of a shipment of ...
4. I'm phoning to inform you that goods covered by you policy No 6947238120 have been stolen.
5. We have the details and we'll issue a cover note at once.
6. Your policy number is ...

Written

7. Please effect insurance against all risks for...
8. The premium is to be charged[4] to the consignees.
9. We will be making regular shipments and would like an open policy.
10. The boxes were broken open[5] during an overnight stay at... and the following items were taken... The local police have been informed.
11. The crate was damaged[6] during unloading from the hold at ...
12. The deck cargo was damaged by penetration of sea water.
13. Movement of the cargo caused damage[7] to ...
14. Fuel oil leaked into the container damaging the ...
15. Although the packing cases were marked "store under cover" they were stacked in full sun and the contents began to rot.
16. We are prepared to meet your claim in full.
17. Our lorry[8] has broken down and the refrigerated load has thawed out.

B1 DIALOGUE

— Transroute Insurance?

— Yes, how can we help you?

— We are insured with you for loads travelling across Zimbabwe by road. I've just had a report that [1] a freight train hit [2] one of our lorries at a crossing in Mapupu; the contents [3] of the lorry have been spilled on the tracks.

— Oh, I'm sorry to hear that. Can I just have [4] your policy number please?

— 240736 G/2, it's an open policy.

— Just a minute please, I'll check... oh yes, Africa General Trading co? Carrying denim cloth?

— That's right.

— We have an assessor in the country, we'll arrange for him to visit the scene of the accident as soon as possible.

— Thanks.

— Meanwhile could you telex details of the accident to us on 5398 BF so that we can register your claim [5]?

— OK, thanks. Is there anything I can do in the meantime?

— Yes, our assessor will not get there for a few days. If you can arrange for the contents to be put [6] under cover, we will reimburse the cost of temporary storage and transport, but please do keep [7] all receipts.

— Great. The rains are due and we can probably salvage some of the load if I can get it under cover quickly.

— Of course the assessor will also get a quote for the repair of the lorry. It sounds as though it might be a write off but we'll see...

B2 DIALOGUE

— Les assurances Transroute ?

— Oui, que puis-je pour vous?

— Nous assurons chez vous des chargements qui passent par le Zimbabwe par route. Je viens de recevoir un rapport qui m'informe qu'un train de marçhandises a heurté un de nos camions à un passage à niveau à Mapupu, le chargement du camion s'est répandu sur la voie.

— Je suis désolée d'apprendre cela. Est-ce que je peux avoir votre numéro de police s'il vous plaît ?

— 240736 G/2, c'est une police ouverte.

— Un moment s'il vous plaît, je vais vérifier. Ah oui, Africa General Trading Co ? Pour le transport de toile de jean ?

— C'est ça.

— Nous avons un expert dans le pays et nous ferons le nécessaire pour qu'il se rende sur les lieux de l'accident aussi tôt que possible.

— Merci.

— En attendant, pourriez-vous m'envoyer par télex au 5398 BF les circonstances de l'accident pour que nous puissions enregistrer votre déclaration ?

— D'accord, merci. Est-ce que je peux faire quelque chose dans l'intervalle ?

— Oui, notre expert n'arrivera pas avant quelques jours. Si vous pouvez faire en sorte que le chargement soit mis à l'abri, nous vous rembourserons le coût du transport et de l'entreposage temporaire mais, s'il vous plaît, gardez bien tous les reçus.

— Bien. Les grandes pluies vont arriver et nous pouvons probablement sauver une partie du chargement si je peux la mettre à l'abri rapidement.

— Bien sûr, l'expert obtiendra aussi un devis pour la réparation du camion mais il semble bien qu'il ne soit pas réparable ; nous verrons...

X ▪ Assurance

C1 REMARQUES SUR LES EXPRESSIONS (A1/A2)

1. **we're wanting... :** nous voulons. Remarquez la forme progressive de **to want,** verbe qui se rencontre le plus souvent à la forme simple. Ici la forme en **-ing** adoucit le ton de la demande ; **we want cover for...** serait en effet trop abrupt.
2. **insure us for :** *assurer* (le transport) ; n'oubliez pas la préposition **for** avant le complément **(the transport)**.
3. **quote us a rate :** *nous indiquer votre taux* ; **quote** est un verbe souvent employé dans les correspondances concernant assurances, devis, évaluation.
4. **is to be charged :** *sera à la charge/doit être à la charge* ; **to be to** donne au verbe qui suit une idée d'obligation future, résultant d'une décision prise au préalable. Autre exemple, **I am to visit the States next month :** *je dois me rendre au États-Unis le mois prochain.*
5. **were broken open :** *ont été fracturées.* Remarquez cette construction d'une concision tout à fait caractéristique de la langue anglaise où les deux notions « ouverture » et « par effraction » sont rendues par le verbe **to break** suivi de l'adjectif **open**.
6. **was damaged :** *a subi des dégâts.* La phrase ci-dessus présente un verbe à la voix passive ; d'autres exemples, **were broken open, have been informed.**
7. **damage :** *dégâts* ; le mot **damage**, dans le sens de *dégâts*, est en anglais un nom collectif toujours au singulier. Dans le sens de *dommages et intérêts* il apparaît dans sa forme plurielle ; **we have sued them for damages :** *nous les avons poursuivis en dommages et intérêts.*
8. **lorry :** *camion* ; (U.S.) **truck.**

C2 REMARQUES SUR LE DIALOGUE (B1/B2)

1. **a report that... :** *un rapport qui m'informe que...* Cette construction qui prend des raccourcis avec la grammaire des puristes est de style parlé et n'est pas recommandée dans le style épistolaire. Dans une lettre on écrira plutôt **a report according to which :** *un rapport selon lequel...*
2. **hit :** *a heurté* ; prétérit irrégulier du verbe **to hit**.
3. **contents :** traduit ici par *chargement* ; ce mot dans le sens de contenu est toujours au pluriel : **the contents of the crate.**
4. **can I just have... :** *est-ce que je peux avoir...* ; le **just** de cette structure de style parlé est totalement différent de celui qui apparaît plus haut dans la construction du passé immédiat **we've just had** ; le **just** de **can I just have...?** n'a aucune fonction grammaticale ; il donne simplement à la requête un ton plus poli.
5. **claim :** *déclaration* (de sinistre) ou selon le contexte, *demande d'indemnité/de dommages*. Autre phrase courante, **we are making a claim on our insurance company :** *nous adressons une déclaration de sinistre à notre compagnie d'assurances.*
6. **arrange for the contents to be put :** *faire en sorte que le chargement soit mis...* La traduction est de style moins soutenu que celle de la même tournure plus haut ; **we'll arrange for him to visit :** *nous ferons le nécessaire pour qu'il se rende...*
7. **do keep :** *gardez bien* ; forme d'insistance au présent simple. L'auxiliaire **do** apparaît à la forme affirmative et sert de support à l'accent emphatique ; dans les textes écrits on trouve parfois ce **do** en caractères italiques ou souligné.

D1 CORRESPONDENCE

ELECTROGEN SA

27 August 199-

Dear Sir,

10 Diesel generators model 56 T.

I am writing to confirm our telephone conversation of 25 August concerning cover for the above shipment.

We would be glad if you would cover us against all risks warehoused and in transit of the shipment from Paris to Karachi the value of which is FF 156 000. The insurance should come into effect from 1 September. The rate quoted to us was 9 per cent.

We would be grateful if you could arrange for the certificate of insurance to reach us by the end of the month.

Yours faithfully,

Olivier Florent.

TELEX

INSURANCE CERT No 4727066/GRE
REGRET TO INFORM YOU CONTAINER OF GLASSWARE DROPPED DURING UNLOADING AT SINGAPORE LLOYDS AGENT INFORMED LETTER FOLLOWS
REGARDS TSIU CHEN

ELECTROGEN SA

le 27 août 199-

Monsieur,

10 Générateurs Diesel - 56 T

Je vous confirme par la présente notre conversation téléphonique du 25 août concernant l'assurance de l'envoi ci-dessus.

Nous vous remercions de bien vouloir nous assurer contre tous risques pour l'entreposage et le transport de Paris à Karachi cet envoi dont la valeur est de 156 000 F. L'assurance doit prendre effet à partir du 1er septembre. Le taux qui nous a été communiqué était de 9%.

Nous vous serions reconnaissants de bien vouloir faire le nécessaire pour que le certificat d'assurance nous parvienne avant la fin du mois.

Je vous prie d'agréer, Monsieur...

Olivier Florent

TÉLEX

CERTIFICAT D'ASSURANCE N° 4727066/GRE
AVONS REGRET DE VOUS INFORMER
CONTENEUR ARTICLES DE VERRE DÉTACHÉ
AU COURS DÉCHARGEMENT À SINGAPOUR
AVONS INFORMÉ AGENT LLOYDS
LETTRE SUIT
SALUTATIONS TSIU CHEN

E1 VOCABULAIRE COMPLÉMENTAIRE

dérapé	skidded
broyé	crushed
s'est retourné	overturned
s'est mis de travers	jacknifed
est tombé en panne	broke down
a été heurté par	was hit by
est entré en collision avec	collided with
a eu un éclatement de pneu	burst a tyre/tire (US)
l'eau a pénétré dans la cale	water entered the hold
le chargement s'est déplacé	the cargo shifted
le système de réfrigération est tombé en pannè	the refrigeration system failed
endommagé par un chariot de manutention	damaged by a fork lift truck
endommagé par la pluie	damaged by the rain
a pris feu	caught fire
a été fracturée	was broken into
a été volé	was stolen
FPA, franc d'avarie particulière	free of particular average
tous risques	all risks
tiers, incendie, vol	third party, fire and theft
police ouverte	open policy
police flottante au cours du transport	floating policy in transit
destinataire	consignee
prime	premium

E2 EXERCICES

A) Traduire en anglais :

1) *Est-ce que vous pouvez assurer le transport de 5 chariots de manutention de Brest à Djamila ?*
2) *Je vous appelle pour vous faire savoir que la marchandise couverte par votre police n° 5237 a été endommagée par la pluie.*
3) *La prime sera à la charge du destinataire.*
4) *Nous sommes prêts à vous indemniser pour la totalité de la perte.*
5) *Je suis désolée d'apprendre que votre chargement a subi des dégâts.*

B) Traduire en anglais :

1) *était couverte par.*
2) *est tombé en panne.*
3) *ont été fracturés.*
4) *a été volé.*
5) *a été broyé.*
6) *a eu un éclatement de pneu.*
7) *a été heurté par un chariot de manutention.*

CORRIGÉ

A)
1) Can you insure us for the transport of 5 fork lift trucks from Brest to Djamila?
2) I'm phoning to inform you that the goods covered by your policy No 5237 have been damaged by rain.
3) The premium is to be charged to the consignees.
4) We are prepared to meet your claim in full.
5) I'm sorry to hear that your load has been damaged.

B)
1) was covered by.
2) broke down.
3) have been broken into.
4) has been stolen.
5) has been crushed.
6) burst a tyre/tire (US).
7) has been hit by a forklift.

XI ▪ Foires et expositions

A1 EXPRESSIONS

■ Parlées

1. Bonjour, je suis représentant de la maison Flory. Est-ce que je peux vous renseigner ?
2. Connaissez-vous la marque XYZ?
3. Quelle section de notre exposition vous intéresse particulièrement ?
4. Si vous avez un moment, je vais vous montrer quelques-uns de nos ...
5. Permettez-moi de vous remettre une de nos brochures.
6. Voulez-vous prendre un verre pendant que je vous montre...
7. Est-ce que vous connaissez bien... ?
8. Si vous voulez bien revenir dans une heure nous ferons une démonstration du nouveau modèle.
9. Vous nous laissez votre adresse et je ferai le nécessaire pour que notre conseiller en vente pour votre région vous rende visite.
10. Voulez-vous que nous vous donnions un prix indicatif ?
11. Est-ce que je peux vous laisser ma carte ?
12. Voulez-vous nous laisser vos coordonnées ?
13. Est-ce que vous avez une carte professionnelle ?
14. Quel serait le meilleur moment pour vous joindre ?
15. Venez nous voir au stand 564 de l'Exposition internationale à ...
16. Nous proposerons un rabais de 10% sur toutes les commandes passées pendant l'exposition.
17. Complétez le bon et rapportez-le au stand n° 564 ; vous recevrez un échantillon gratuit de ...

Les Directeurs de ... Ont le plaisir d'inviter M. .... A la réception qui marquera l'ouverture de leur stand à l'Exposition Internationale de ....

A2 PHRASES

■ Spoken

1. Hello, I represent Flory. Can I help you [1]?
2. What do you know about...?
3. Which part of our display [2] are you interested in?
4. If you have a moment to spare, I'll show you some of our...
5. Let me give you [3] one of our brochures.
6. Would you like a drink while I show you...
7. Are you familiar with [4]...?
8. If you'd like to come back in an hour, we'll be demonstrating [5] the new model.
9. If you leave your address I'll arrange for our local sales consultant to visit you.
10. Would you like us to give you a quote?
11. Can I leave you my (business) card?
12. Would you like to leave your details [6]?
13. Have you got a business card?
14. When would be a good time to contact you?
15. Come and see us on stand 564 at the International Exhibition [7] in...
16. We will be offering a discount of 10% on all orders placed during the exhibition.
17. Complete this voucher and hand it in at stand No 564 to receive a free sample of ...

The Directors of ...
Have pleasure in inviting

Mr ....

To the reception marking the opening
of their stand at the International Exhibition

in ....

B1 DIALOGUE

— I represent "Les Maîtres de la Cuisine". How can I help you?

— Well... I'm just looking around really.

— Do you live here?

— No, I've come down from the North just to see what the exhibition was like [1], there' ve been a lot of articles [2] about it in the press.

— Yes, it's been a big success too, most of the local hoteliers have been to see us. Do you run a hotel [3] or restaurant?

— As a matter of fact, yes, I have the Gai Légionnaire in Hanin, about 150 kilometres to the north [4].

— Oh, on the road to Port St Anthony? You must do quite well [5] with the tourists up there?

— Well yes, it's not bad, a bit quiet out of season though [6].

— Big?

— 80 covers. Enough for me! I'm trying to improve the quality without increasing the staff, it's so difficult to get good kitchen staff here, I'm trying to get a new chef now.

— Ah! would you like to leave me your details? I might be able to help you [7].

— Well er...

— If you've got a card that'll make things easier [8]. Here's mine : I'm Philippe Labigny. I'm the new agent for the hotel trade here and I'm trying to get a better understanding of the trade in the region. I'll pop in and see you when I'm up in the north and let you try out some of our equipment for yourself.

— Well, thank you, I certainly don't mind trying but I'm not making any promises.

— Of course not, I look forward to seeing you anyway. Goodbye Mr Hajjar...

B2 DIALOGUE

— Je suis représentant de la maison « Les Maîtres de la Cuisine ». Est-ce que je peux vous renseigner ?

— Euh... Je ne fais que regarder en fait.

— Est-ce que vous êtes de la région ?

— Non, je suis descendu du Nord, simplement pour voir ce que valait l'exposition ; il y a eu beaucoup d'articles dans la presse à ce sujet.

— Oui, et elle a beaucoup de succès également, la plupart des hôteliers de la région sont venus nous voir. Vous êtes dans l'hôtellerie ou la restauration ?

— À vrai dire, oui, je suis propriétaire du Gai Légionnaire à Hanin, c'est à 150 miles environ au nord d'ici.

— Ah, sur la route de Port St Anthony ? Ça doit bien marcher là-haut, avec les touristes.

— Oui, ça ne va pas mal, un peu calme hors saison pourtant.

— Important ?

— 80 couverts ! Ça me suffit ! J'essaie d'améliorer la qualité sans devoir augmenter le personnel ; il est très difficile de trouver un personnel de cuisine qualifié ici, je suis en train de chercher un nouveau chef.

— Voulez-vous me laisser vos coordonnées, je pourrais peut-être vous aider.

— Oui, euh...

— Si vous avez une carte, ce sera plus simple. Voici la mienne, je m'appelle Philippe Labigny. Je suis le nouvel agent pour votre région et je suis en train d'étudier le marché local. Je passerai vous voir dans une ou deux semaines pour vous laisser essayer notre équipement.

— Hum, merci, je veux bien essayer mais je ne promets rien.

— Non, bien sûr, je vous verrai donc de toute façon. Au revoir, monsieur Hajjar.

XI ▪ Foires et expositions

C1 REMARQUES SUR LES EXPRESSIONS (A1/A2)

1. **how can I help you? :** *est-ce que je peux vous renseigner ?* ; mot à mot, *comment puis-je vous aider ?* On entendra aussi souvent **can I help you?** Ici on préférera cependant la question ouverte commençant par **how,** qui oblige l'interlocuteur à répondre autre chose que **no thank you,** ou **no!**, et qui permet au représentant d'entrer d'emblée en contact avec le client potentiel.
2. **display :** *exposition* ; se rapporte ici au stand de l'exposition ; est aussi employé pour l'étalage des magasins (**display window :** *vitrine*).
3. **let me give you :** *permettez-moi de vous remettre* ; mot à mot, *laissez-moi vous donner...* ; var. plus littéraire, **allow me to give you...**
4. **are you familiar with...? :** *est-ce que vous connaissez bien ?* Retenez également l'expression **to make oneself familiar with :** *se familiariser avec* ; ex. : **we have made ourselves familiar with the new system.**
5. **we'll be demonstrating :** *nous ferons une démonstration.* Le futur progressif est fréquemment employé dans la langue parlée lorsqu'il s'agit d'une action prévue qui se déroulera dans un avenir plus ou moins proche.
6. **details :** *coordonnées* ; à savoir, **surname :** *nom,* **company name :** *société,* **address :** *adresse,* **position :** *poste occupé.*
7. **exhibition :** *exposition* ; également : **show :** *salon,* **trade fair :** *foire commerciale* ; retenez également **to exhibit :** *exposer,* **an exhibitor :** *un exposant.*

C2 REMARQUES SUR LE DIALOGUE (B1/B2)

1. **what the exhibition was like :** *ce que valait l'exposition.* Expression à retenir, ainsi que la question directe ; **what is it/the machine/the show... like?** qui se rapporte aux qualités de la chose en question.
2. **there've been a lot of articles :** *il y a eu beaucoup d'articles* ; le present perfect indique que l'action a débuté dans le passé et se poursuit toujours au moment où l'on parle.
3. **do you run a hotel? :** *est-ce que vous êtes dans l'hôtellerie ?* ; mot à mot, *est-ce que vous tenez un hôtel ?* ; le verbe **run** a, ici, le sens de *diriger* **(to run a company)**.
4. **150 miles to the north :** *150 miles au nord d'ici.* Apprenez à vous situer géographiquement ; par exemple, **we are 100 miles to the East of Paris :** *nous sommes à 100 miles à l'est de Paris.* **It is 40 minutes from Lyon :** *c'est à 40 minutes de Lyon.*
5. **you must do quite well :** *ça doit bien marcher.* Expression de style parlé.
6. **though :** *pourtant.* Dans la conversation, on préférera ajouter ce restrictif en fin de phrase alors que dans une lettre on écrira **although it is a little quiet out of season.**
7. **I might be able to help you :** *je pourrais peut-être vous aider.* Le modal **might**, qui traduit l'incertitude d'une action future, est rendu par *peut-être.*
8. **will make things easier :** *sera plus simple* ; mot à mot, *rendra les choses plus faciles.*

HYDRAUFORCE SA

la technologie de pointe au service du matériel de levage

Dear Sir,

As you probably know, we recently announced that we were bringing out a revolutionary new fork lift truck.

We are now happy to announce that one of the first examples of this major advance in technology will be on show in the International Business Centre at Zapin' from 11-18 March. Our stand number will be 366 K and we would like to invite you to come and see our new model in operation. Key members of our research and development team will be present during the exhibition to discuss and demonstrate the features of the new model.

We look forward to welcoming you to our stand.

Yours faithfully,

Gilles de la Renardière,
Managing Director
Hydrauforce SA

Enc : invitation.

HYDRAUFORCE SA

la technologie de pointe au service du matériel de levage

Monsieur,

Vous le savez sans doute, nous avons annoncé récemment la sortie d'un nouveau chariot de manutention révolutionnaire.

Nous avons maintenant le plaisir de vous annoncer que l'un des premiers exemples de cette grande avancée technologique sera exposé au Centre international des affaires à Zapin' pendant la semaine du 11 au 18 mars. Notre numéro de stand sera le 336 K et nous vous invitons à venir voir notre nouveau modèle en cours de fonctionnement. Des experts de notre personnel de recherche et de développement seront présents pendant l'exposition pour discuter des caractéristiques du nouveau modèle et en faire des démonstrations.

Dans l'attente du plaisir de vous rencontrer, je vous prie de recevoir nos sentiments les meilleurs.

Le directeur général,
Gilles de la Renardière

P.J. : invitation

■ AT THE EXHIBITION

STARTING A CONVERSATION

- What do you use for (cleaning) in your company?
- Have you ever used our products/machines/services?
- Let me show you our new model.
- What do you know about..?

FINDING OUT MORE ABOUT THE VISITOR

- What's the main activity of your business?
- Are you involved in selecting new products?
- What's the size of your company?
- Let me show you the advantages/features of...
- How does our ... compare with what you are using at the moment?
- If you could leave your details/your business card, I'll send you more information.

DEALING WITH TWO VISITORS

- Can I introduce you to my colleague Sami, he knows a lot about your type of business... Sami, this is... (I don't think I caught your name... Thank you). He's from... Can I leave you to discuss our products while I have a few words with this other customer? I hope you don't mind. Mr... .
- I'll be with you in a moment.
- Would you like to look through our brochure, I'll be with you shortly.
- Can I offer you something to drink while I talk to my other client?

E2 EXPRESSIONS COMPLÉMENTAIRES

■ À L'EXPOSITION

OUVRIR LE DIALOGUE

- Qu'est-ce que vous utilisez pour (le nettoyage) à votre entreprise ?
- Avez-vous déjà utilisé nos produits / machines /services ?
- Permettez-moi de vous montrer notre nouveau modèle.
- Que connaissez-vous de ...

DÉTERMINER L'IDENTITÉ DU VISITEUR

- Quelle est l'activité principale de votre société ?
- Est-ce que la sélection de nouveaux produits fait partie de vos responsabilités ?
- Quelle est la taille de votre société ?
- Permettez-moi de vous montrer les avantages de nos ...
- Comment trouvez-vous notre ... par rapport à ce que vous utilisez en ce moment ?
- Si vous pouviez me laisser vos coordonnées / votre carte professionnelle, je vous enverrai des renseignements supplémentaires.

S'OCCUPER DE DEUX VISITEURS

- Est-ce que je peux vous présenter à mon collègue Sami, c'est sa partie... Sami, voici ... (je ne crois pas avoir bien entendu votre nom... Merci). Il vient de la société... Est-ce que je peux vous laisser tous les deux pendant que je dis deux mots à un autre client ? Cela ne vous dérange pas ?
- Je suis à vous dans un instant.
- Voulez-vous regarder notre brochure, je suis à vous tout de suite.
- Est-ce que je peux vous offrir quelque chose à boire pendant que je m'entretiens avec mon autre client?

XI ▪ Foires et expositions

E1 VOCABULAIRE COMPLÉMENTAIRE

accès : admission
annuaire : directory
bureau de(s) renseignements : information office; "inquiries"
carte accréditive : accreditive (accreditation) card
billets à titre gracieux : complimentary tickets
conférence : conference
congrès : convention, conference
démonstration : demonstration
démonter un stand : to take down a stand (cf. *monter*)
éclairage : lighting
entrée : 1) admission,
2) *(lieu)* entrance
entrée principale : main entrance ; main gate
exposant : exhibitor
exposer : to exhibit
exposition : exhibition
foire : fair
foire commerciale : trade fair
grand hall : main hall, (U.S.) main concourse
hall d'exposition : exhibition hall ; showroom
hébergement : accommodation
hôtesse d'accueil : hostess
implantation : location
inaugurer : to open
interprète : interpreter
laissez-passer : pass
lieu (d'une exposition) : venué
location de matériel d'exposition : hire of exhibition equipment
louer : to rent
macaron : badge
manifestation : event
monter un stand : to put up a stand
parking (lieu) : parking lot ; parking accommodation
participation : attendance
pavillon : pavilion
presse professionnelle : trade press
prise d'électricité : power point
prix (décerné) : prize, award
professionnel(s) : professional(s)
réservation : reservation
réservation d'avance : advance booking, advance reservation
réserver : to reserve, to book
réservé aux professionnels : restricted to professionals, reserved to the trade
salle de conférence : conference room, conference hall
salon : show
service d'ordre : security (officers, guards, people)
spot : spotlight
stand : stand, (U.S.) booth
table ronde : round table
télévision en circuit fermé : closed-circuit T.V.
traducteur : translator
traduction simultanée : simultaneous translation
visiteur : visitor
zone d'accès réservé : restricted area

E2 EXERCICES

A) Traduire les phrases suivantes en anglais :
1) *Est-ce que je peux vous renseigner ?* / 2) *Est-ce que vous avez un moment ?* / 3) *Voulez-vous nous laisser votre adresse ?* / 4) *Nous proposerons un rabais de 20% pour toutes les commandes passées pendant l'exposition.* / 5) *Voulez-vous nous laisser vos coordonnées ?*

B) OBTAINING AN APPOINTMENT FOR A FOLLOW-UP VISIT
Traduire en français :
1) I'll contact your secretary tomorrow to make an appointment. / 2) When would be a good time to come and see you? / 3) Would you like to make an appointment now? / 4) Who should I contact in your organisation to arrange a presentation? / 5) When would you like me to come and give a demonstration? / 6) I'll give you a ring in a few days to see if we can discuss this further.

C) Traduire en français :
1) Exhibitor, 2) Exhibition, 3) Show, 4) Display, 5) Stand No 607.

CORRIGÉ

A) 1) Can I help you? / 2) Can you spare a minute? / Do you have a moment to spare? / 3) Would you like to leave your address? / 4) We will be offering a discount of 20% on all orders placed during the exhibition. / 5) Would you like to leave your details?

B) Obtention d'un rendez-vous pour visite ultérieure
1) *Je prendrai contact avec votre secrétaire demain pour fixer un rendez-vous.* / 2) *Quel serait le meilleur moment pour venir vous voir ?* / 3) *Est-ce que vous voulez fixer un rendez-vous aujourd'hui ?* / 4) *Qui devrais-je contacter dans votre société pour organiser une présentation ?* / 5) *Quand voulez-vous que je vienne vous faire une démonstration ?* / 6) *Je vous appellerai dans quelques jours pour voir ce que nous pouvons en dire de plus.*

C) 1) Exposant, 2) Exposition, 3) Foire-Salon, 4) Stand d'exposition, 5) Stand n° 607.

XII ▪ Réclamations

A1 EXPRESSIONS

■ Parlées

1. Je voudrais des explications au sujet d'un envoi que vous venez de livrer.
2. Je ne suis pas satisfait des services d'un de vos conducteurs.
3. Vous nous aviez assuré que la livraison serait effectuée avant le 15, mais la marchandise n'est pas encore arrivée.
4. Au déballage du chargement de... que vous nous avez envoyé, nous avons découvert que plusieurs... manquaient.
5. Quand les caisses ont été ouvertes il est apparu que certains des éléments étaient endommagés.
6. Nous avons refusé la livraison car les valves qui figuraient sur l'avis de livraison n'étaient pas du type demandé.
7. Je vous appelle pour vous faire savoir que vous n'avez pas réglé notre facture dans sa totalité.

■ Écrites

8. Je vous adresse par la présente une réclamation au sujet de...
9. La qualité des articles que vous avez envoyés n'était pas conforme à l'échantillon.
10. Nous avions compris que les frais / la taxe régionale sur les ventes seraient à la charge du vendeur.
11. Nous vous rappelons que les réclamations doivent être adressées dans les 10 jours suivant la livraison.
12. Nous vous présentons toutes nos excuses.
13. Nous vous prions de nous excuser pour le dérangement qui a pu être occasionné.
14. Nous vous sommes reconnaissants de la compréhension dont vous faites preuve dans cette affaire.
15. Soyez assurés que ceci ne se reproduira plus.

A2 PHRASES

■ Spoken

1. I have a serious complaint to make[7] about the consignment of... you just delivered[2].
2. I want to complain about one of your drivers.
3. You promised delivery by the 15th[3] and the goods still haven't arrived[4].
4. We just (US) / have just (GB) unpacked[5] the load of... you sent and found that several of the... are missing[6].
5. When the crates were opened some of the units were found to be damaged[7].
6. We refused to take delivery because the delivery note showed that the valves were of the wrong type.
7. I am phoning to point out that you haven't settled our account in full.

■ Written

8. I am writing to complain about...
9. The quality of the articles you sent was not up to sample[8].
10. We had understood that the charges / local sales tax would be paid by the vendor.
11. We must remind[9] you that complaints should be received within 10 days of delivery.
12. Please accept our sincere apologies.
13. We are sorry for any inconvenience this may have caused[10].
14. We are grateful for your understanding in this matter.
15. You may rest assured that this will not happen again.

B1 TELEPHONE DIALOGUE

— After Sales, Siret speaking, how can I help?

— This is Kelly Waters, the Manager of Global Ores in Springtown. Look, we just took [1] delivery of the pumps we ordered...

— Good, everything OK?

— Heck [2] no! we ordered five pumps, there were only four in the container!

— Oh no! let me check [3] the paperwork [4]... Here we are, five 20 Hp fourstroke pumps [5] for delivery to your mine in Springtown... Wait a minute, there's a note, "only four in stock, balance [6] to follow [7]"... I remember now, you wanted them in a hurry, didn't you [8]?

— Sure but...

— Well we only had four pumps ready for shipping so we sent those...

— Hell, why didn't your people tell us then?

— Well someone sure should have phoned through [9]. I'll look into that. Can you use the four pumps we already sent?

— Well yeah, we'll get by. How long do we have to wait for the other one?

— It'll be ready for shipping by the end of the week... Look, to show our goodwill we'll fly it to you, you should have it within eight days.

— Well OK, I'd be obliged. Meantime those four pumps are going to have to do the work of five!

— Don't worry. Our pumps are made for hard work.

B2 DIALOGUE TÉLÉPHONIQUE

— Service Après-Vente, Siret à l'appareil. Puis-je vous aider ?

— Ici Kelly Waters, directeur de Global Ores à Springtown. Écoutez, nous venons de prendre livraison des pompes que nous avions commandées...

— Bien, est-ce que tout est en ordre ?

— Justement non, nous avons commandé cinq pompes et il n'y en avait que quatre dans le conteneur !

— Pas possible ! je vais vérifier les papiers... Voilà... cinq pompes quatre temps de 20 CV à livrer à vos mines de Springtown. Attendez, il y a une note, « quatre en magasin seulement, la cinquième suit ». Oui, je m'en souviens, vous les vouliez rapidement n'est-ce pas ?

— Oui, mais...

— Eh bien, nous n'en avions que quatre que nous pouvions envoyer tout de suite, alors nous les avons expédiées.

— Mais bon sang, pourquoi est-ce que vos employés ne nous ont pas avertis alors ?

— Quelqu'un aurait dû bien sûr vous téléphoner — je vais regarder ça de plus près. Est-ce que vous pouvez utiliser les quatre pompes que nous vous avons déjà envoyées ?

— Eh bien, oui, nous essaierons de nous arranger. Combien de temps est-ce que nous devons attendre pour recevoir l'autre ?

— Elle sera prête à être expédiée avant la fin de cette semaine, et pour vous être agréable, nous vous l'enverrons par voie aérienne, vous devriez la recevoir dans les 8 jours.

— Bon, entendu, merci. En attendant, les quatre pompes vont devoir faire le travail de cinq.

— Ne vous inquiétez pas. Nos pompes sont conçues pour résister à un usage intensif.

C1 REMARQUES SUR LES EXPRESSIONS (A1/A2)

1. **complaint to make :** retenez l'expression **to make a complaint** suivie de la préposition **about**. Elle est suivie de la préposition **to** dans des phrases du type **you should make a complaint to the manager :** *vous devriez vous plaindre au directeur.*
2. **just delivered :** *venez de livrer*. Notez l'emploi en anglais US du prétérit dans le passé immédiat, alors qu'on aura en anglais GB **have just delivered.**
3. **by the 15th :** *pour le 15, avant le 15.* La préposition **by** devant une date ou, plus généralement, devant une expression de temps indique que l'événement doit se passer avant cette date ; **by the end of the month :** *avant la fin du mois.*
4. **still haven't arrived :** *ne sont toujours pas arrivé(e)s* ; var. **haven't arrived yet**. La présence de **still** dans cette phrase plutôt que **yet** indique l'irritation.
5. **have just unpacked :** *au déballage...* ; passé immédiat en anglais GB construit avec **have** + **just** + participe passé.
6. **are missing :** *il manque* ; il est également possible de dire **there were several of the... missing.**
7. **were found to be damaged :** autre formulation possible, **we found that some of the units were damaged.** La tournure contenant les 2 passifs **were found to be** rend le style impersonnel.
8. **up to sample :** *conforme à l'échantillon* ; **up to** donne l'idée de limite supérieure, ici dans le sens figuré *(à la hauteur de...).*
9. **remind :** *rappeler*. Remarquez aussi l'emploi de ce verbe dans l'expression **to remind someone of something.**
10. **may have caused :** *a pu être occasionné*, le modal **may** indique ici une hypothèse.

C2 REMARQUES SUR LE DIALOGUE (B1/B2)

1. **we just took :** *nous venons de prendre* ; en anglais US. En anglais britannique on aurait : **we have just taken.**
2. **heck :** *justement non* ; exclamation qui, isolée, peut se rendre par *zut, mince, flûte* ; se rencontre couramment dans des phrases parlées américaines.
3. **let me check :** *je vais vérifier* ; mot à mot, *laissez-moi* ; on entendra souvent l'expression **let me see**, qui selon le contexte se traduira par *voyons* ou *faites-moi voir.*
4. **paperwork :** *papiers, documents* ; mot collectif qui peut dans certains contextes revêtir un sens péjoratif ; **all that paperwork!** : *toute cette paperasserie !*
5. **20 Hp fourstroke pumps :** *pompes à 4 temps, de 20 CV* ; groupe de mots typique de l'anglais technique où tous les adjectifs et noms qui se rapportent au mot clé (pump ici) se placent devant celui-ci.
6. **balance :** traduit ici par *la 5*[e], mais signifie *le solde, le reste.*
7. **to follow :** *suit* ; **is** est sous-entendu (**balance is to follow :** *le reste doit suivre*) ; on pourrait aussi avoir, avec le même sens : **the balance will follow.**
8. **didn't you :** *n'est-ce pas* ; la construction de *n'est-ce pas* est différente en anglais selon le temps et la forme du verbe. Ici **wanted** est au prétérit à la forme affirmative, *n'est-ce pas* se construira donc avec l'auxiliaire **did** à la forme interro-négative ; autre exemple, **you didn't want the valves, did you?**
9. **should have phoned through :** *aurait dû téléphoner* ; **should :** modal employé pour les obligations morales.

D1 CORRESPONDENCE

Gentlemen:

The 20 rolls of silk we ordered from you were just delivered to our warehouse.

Unfortunately, I have to report that the quality of the silk is not up to sample; on 6 of the rolls the colour is uneven and the material would be unsuitable for making up into high quality shirts and blouses as intended.

We would be obliged if you would arrange to have the 6 substandard rolls replaced as soon as possible.

Yours sincerely,

Dear Sir,

We were surprised to receive your letter of 24 August complaining about the quality of the silk we recently sent you. As I am sure you know, Lyon Textil' have an excellent reputation for quality and we supply most of the better-known stores in your country. We like to think that our system of quality control is very reliable but obviously in this case it was not so.

We are grateful to you for pointing out that there are still improvements to be made in our system. Replacements are being despatched to you today.

Please accept our sincere apologies for any inconvenience this has caused.

Yours faithfully,

Messieurs,

Les 20 rouleaux de soie que nous vous avons commandés viennent d'être livrés à notre entrepôt.

Malheureusement, je dois vous informer que la qualité de la soie n'est pas conforme à l'échantillon ; 6 des rouleaux ne présentent pas une couleur uniforme et le tissu serait impropre à la confection de chemises et de chemisiers de qualité comme nous en avions l'intention.

Nous vous serions obligés de bien vouloir faire le nécessaire pour remplacer les 6 rouleaux de seconde qualité aussitôt que possible.

Nous vous prions de recevoir...

Monsieur,

C'est avec étonnement que nous avons reçu votre lettre du 24 août par laquelle vous nous faites part de votre insatisfaction au sujet de la soie que nous vous avons envoyée récemment. Vous savez certainement que Lyon Textil' est réputée pour la qualité de ses produits et nous fournissons la plupart des magasins les plus connus de votre pays. Nous croyons que notre système de contrôle de qualité est très fiable mais de toute évidence, il n'est pas apparu comme tel dans votre cas.

Nous vous sommes reconnaissants de nous avoir fait remarquer qu'il y a encore des améliorations à apporter à notre système. Les articles de remplacement vous sont expédiés aujourd'hui.

Nous vous prions de bien vouloir accepter toutes nos excuses pour le dérangement que ceci a pu occasionner.

Veuillez agréer, Monsieur...

E1 VOCABULAIRE COMPLÉMENTAIRE

ne sont pas encore arrivés	have still not arrived
ont été livrés en retard	were delivered late
endommagés en cours de transport	damaged in transit
emballage insuffisant	insufficient packing
non conformes à la commande	not as ordered
du type qui ne convient pas	the wrong type
articles manquants	missing items
couleur qui ne convient pas	the wrong colour
articles de remplacement	replacements
pièce défaillante	faulty part
non réglé dans sa totalité	not paid in full
adresser une réclamation	to complain
présenter des excuses	to apologise
toutes nos excuses	sincere apologies
montrer sa bonne volonté	to make up for a mistake
gratuit	Free of charge, FOC
au lieu de	instead of
échanger	to exchange
qui n'est pas de qualité satisfaisante	unsatisfactory
de qualité médiocre	poor quality
mal emballé	badly packed
n'avons pas reçu le règlement	payment has not been received

E2 EXERCICES

A) Traduire en anglais :

1) *Vous nous aviez assuré que la livraison serait effectuée avant le 12.*
2) *Les moteurs qui figuraient sur l'avis de livraison n'étaient pas le type demandé.*
3) *Nous avions compris que tous les frais seraient à la charge de l'acheteur.*
4) *Nous vous prions de nous excuser pour le dérangement qui a pu être occasionné.*
5) *Nous vous présentons toutes nos excuses.*

B) Compléter les phrases suivantes. Ex. : **You do want the goods airfreighted .../... don't you?**

1) You didn't want us to insure the goods...?
2) You did want us to deliver the goods...?
3) You don't expect a delay in the order...?
4) They do have a factory in the North...?
5) We do have an agent in Hong Kong...?

CORRIGÉS

A)
1) You promised delivery by the 12th.
2) The delivery note showed us that the motors were the wrong type.
3) We understood that all charges would be paid by the vendor.
4) We are sorry for any inconvenience this may have caused.
5) Please accept our sincere apologies.

B)
1) You didn't want us to insure the goods, did you?
2) You did want us to deliver, didn't you?
3) You don't expect a delay in the order, do you ?
4) They do have a factory in the North, don't they?
5) We do have an agent in Hong Kong, don't we?

XIII ▪ Relance

A1 EXPRESSIONS

■ Parlées

1. Peut-être n'avez-vous pas encore reçu notre catalogue ?
2. Je vous téléphone pour savoir si vous avez eu l'occasion d'examiner notre documentation.
3. Vous êtes venus à notre stand de l'exposition de...
4. J'ai pensé qu'il serait peut-être intéressant de revenir sur les avantages du système.
5. Voudriez-vous que nous revoyions le devis avec vous ?
6. Nous avons vu M. Jermakyne, votre directeur des ventes ; il nous a dit que vous voudriez peut-être discuter de... avec nous.
7. Vous nous avez demandé notre documentation sur... il y a quelque temps, peut-être avez-vous eu le loisir de l'étudier ?
8. Vous nous avez demandé des renseignements il y a quelques semaines.
9. Je vous ai rendu visite au sujet de... il y a quelques semaines.

■ Écrites

10. Si nos prix ne vous conviennent pas, nous serons heureux d'en discuter à nouveau avec vous.
11. À notre étonnement, nous n'avons pas encore reçu de réponse à notre lettre du...
12. Peut-être désireriez-vous des renseignements supplémentaires qui vous aideraient à prendre une décision ?
13. Nous vous proposons à nouveau de vous faire une démonstration de... chez vous.
14. Notre agent à... nous a fait savoir que vous avez demandé des renseignements sur...
15. Nous sommes désolés de ne pas avoir eu votre visite à notre stand à l'exposition de... mais peut-être voudriez-vous que notre représentant passe vous voir ?

A2 PHRASES

▪ Spoken

1. I wondered whether [1] you had received our catalogue yet?
2. I'm ringing to enquire whether you've had a chance to study our literature yet?
3. You came to our stand at the... exhibition.
4. I thought it might help [2] if I went over the advantages of the system with you again [3]
5. Would you like us to go over the quotation with you again?
6. Your Sales Director, Mr Jermakyne saw us at... and mentioned that you might be interested in discussing the... with us.
7. You requested a copy of our literature on... some time ago... I wondered whether you had had time to study it yet?
8. Some weeks ago you enquired [4] about...
9. A little while ago I called to see you about...

▪ Written

10. If our quotation is not satisfactory we will be happy to discuss it with you further [5].
11. We are surprised not to have received a reply to our letter of...
12. We wondered whether you would like further information to help you reach [6] a decision?
13. We would like to renew our offer to give you a demonstration of... at your premises [7].
14. Our agent informs us that you enquired about...
15. We were sorry that you were unable to visit us at our stand at the... exhibition but we wondered whether you would like our representative to call in?

B1 TELEPHONE DIALOGUE

— Pesce SA canning factory. Nuñez speaking.
— Hello, is that Mr Nuñez, the Production Manager?
— Yes, that's right. What can I do for you?
— Good afternoon Mr Nuñez, I'm Paul Blot, Sales Engineer for PlasVisse sarl. I sent you some samples of our nylon fixing systems a little while ago [1], I wonder whether you've had a chance to look at them yet [2]?
— Well, as a matter of fact I don't remember seeing them, PlasVisse you say?
— That's right. We're famous for our nylon anti-vibration fixings and heat resistant plastics, we supply many of the companies in the canning industry [3].
— Oh, do you? Well... I don't know whether [4] we really need anything like that [5], we usually use stainless steel...
— Of course stainless steel is excellent for your requirements but our systems are just as resistant and much cheaper. I'll put some more samples in the post today and may I suggest [6] that I give you a ring in a week or two when you've had time to study them? I know you're a busy man : when's the best time of day to catch you?
— Well, er... the afternoon I should think...
— Fine [7], I look forward to speaking to you [8] again... Good afternoon Mr Nuñez.

B2 DIALOGUE TÉLÉPHONIQUE

— La conserverie Pesce SA. Nuñez à l'appareil.

— Allô, c'est bien M. Nuñez, le directeur de production ?

— C'est cela même. En quoi puis-je vous être utile ?

— Bonjour M. Nuñez. Je m'appelle Paul Blot et suis ingénieur des ventes chez PlasVisse SA. Je vous ai envoyé il y a quelque temps des échantillons de nos systèmes de fermeture en nylon, peut-être avez-vous eu l'occasion de les examiner ?

— Euh, à vrai dire je ne me souviens pas les avoir vus... Plas Visse SA dites-vous ?

— C'est ça. Nous sommes réputés pour nos fermetures en nylon anti-vibrations et nos matières plastiques résistantes à la chaleur ; nous sommes fournisseurs d'un bon nombre de sociétés dans l'industrie de conservation.

— Vraiment ? Hum... je ne sais pas si nous avons un besoin réel pour ce genre de chose ; nous utilisons généralement de l'acier inox...

— Bien sûr, l'acier inox est excellent pour vos besoins mais nos systèmes sont aussi résistants et bien moins chers. J'envoie aujourd'hui d'autres échantillons ; puis-je vous proposer de vous rappeler dans une semaine ou deux lorsque vous aurez eu le loisir de les examiner ? Je sais que vous êtes occupé : quel est le meilleur moment de la journée où je pourrais vous joindre ?

— Eh bien, euh... l'après-midi je suppose...

— Bien, au plaisir de vous entendre à nouveau. Au revoir M. Nuñez.

C1 REMARQUES SUR LES EXPRESSIONS (A1/A2)

1. **I wondered whether :** *peut-être* ; littéralement, *je me suis demandé si...* Cette formule, fréquente en correspondance mais qui revient aussi souvent dans les conversations permet une approche moins abrupte que la question directe : **have you received our catalogue yet?** qui est à proscrire du répertoire du vendeur.
2. **it might help :** *il serait peut-être utile.* Le modal **might** apporte au verbe auquel il s'attache une notion d'incertitude ; il se rend souvent en français par la locution *il se pourrait que* ; ex. : **I might call in :** *il se pourrait que je passe.* **May** est également possible dans ce genre de phrase, avec cependant un degré d'incertitude moindre ; **we may change our system :** *il se peut que nous changions notre système.*
3. **if we went over again :** *si nous revenions sur...* Le verbe **to go** associé à une postposition perd son sens original. Un autre exemple, ci-dessous, **to go through the quotation again**, où le verbe est traduit par *revoir / réexaminer.*
4. **inquired :** autre orthographe possible, **enquired**. Notez le prétérit dont la présence est justifiée par **ago**.
5. **further :** *à nouveau* ; **further** est le comparatif de supériorité de l'adjectif **far**, pris ici dans le sens figuré ; on le trouve plus bas dans **any further information :** *des renseignements supplémentaires* et dans la locution **further to your enquiry :** *suite à votre demande.*
6. **to help you reach :** en anglais moderne, **to help** est souvent suivi d'un verbe à l'infinitif sans **to**.
7. **your premises :** *chez vous*, terme général qui peut être traduit selon le contexte par *bureaux, usine, atelier, locaux*, etc.

C2 REMARQUES SUR LE DIALOGUE (B1/B2)

1. **I sent you a little while ago :** *je vous ai envoyé il y a quelque temps* ; verbe obligatoirement au prétérit puisque l'action est datée dans le passé **(a little while ago)** même si **a little while** est indéterminé. On aurait pu avoir **three weeks ago, a fortnight ago.**
2. **to look at them yet :** *de les examiner* ; **yet**, qui ici a été omis de la traduction, a le sens de *déjà, encore* ; autre exemple, **haven't you received our brochure yet? :** *n'avez-vous pas encore reçu notre brochure ?*
3. **canning industry :** *industrie de la conserve* ; du verbe **to can :** *mettre en boîte* ; **canned beer :** *de la bière en boîte*.
4. **I don't know whether :** *je ne sais pas si* ; **whether** sous-entend une alternative : *si, oui ou non...*
5. **anything like that :** *ce genre de chose* ; **anything** dans une phrase affirmative comme ici a le sens de *quoi que ce soit, n'importe quoi*.
6. **may I suggest... :** *puis-je vous proposer... ?* Le modal **may** est employé dans les requêtes polies ; **may I call you John? :** *est-ce que je peux vous appeller John ?* **may I call in sometime ? :** *est-ce que je peux vous rendre visite ?*
7. **fine :** var. **(all) right, OK, good.** Ces mots en début de réponse rendent, de la part d'un étranger, un dialogue beaucoup plus naturel.
8. **I look forward to speaking to you :** *au plaisir de vous entendre* ; mot à mot, *j'attends avec impatience le plaisir de parler avec vous.* Retenez cette expression utilisée à la fois dans le style parlé et en fin de lettre.

D1 CORRESPONDENCE

SYSTEMEX SA

Mr Harry Garett
Central Processing
PO Box 2280 - Riyadh 11641
Saoudi Arabia

21 August 199-

Dear Sir,

Some weeks ago we mailed you a quotation for the installation of control equipment at your plant in Riyadh.

As we have not yet received your decision I wondered whether you would like a further opportunity to discuss the quotation and your special requirements?

As you know, all orders received before the 1st October benefit from a discount of 12% and this makes our quotation very attractive.

I have asked Jean Germe, our local agent and a very experienced engineer to make an appointment with you to go over the quote in detail.

Yours faithfully,

Paul Dufiaux
Sales and Marketing Manager

cc : Jean Germe

SYSTEMEX SA

Mr Harry Garett
Central Processing
PO Box 2280 - Riyadh 11641
Arabie Saoudite

Poitiers, le 21 août 199-

Monsieur,

Nous vous avons envoyé, il y a quelques semaines, un devis pour l'installation d'un système de contrôle destiné à votre usine de Riyad.

Vous ne nous avez pas, à ce jour, fait part de votre décision, mais peut-être voudriez-vous avoir la possibilité de discuter à nouveau du devis et des besoins qui vous sont propres ?

Permettez-moi de vous faire remarquer que toutes les commandes qui nous parviennent avant le 1er octobre bénéficieront d'une réduction de 12%, ce qui rend notre prix très intéressant.

J'ai demandé à notre agent pour votre région, Monsieur Jean Germe, qui se trouve être un ingénieur de grande expérience, de fixer un rendez-vous avec vous pour examiner le devis en détail.

Nous vous prions de recevoir, Monsieur...

Paul Dufiaux
Directeur des Ventes et du Marketing

cc : Jean Germe

E1 EXPRESSIONS COMPLÉMENTAIRES

« RELANCER » UN ANCIEN CLIENT

1. Plasnet' after sales department here, I just wanted to check you were happy with the way your order was dealt with.
   Plasnet, service après-vente ; je veux simplement savoir si vous êtes satisfait de la manière dont on a exécuté votre commande.
2. How are you finding the... you bought from us?
   Comment trouvez-vous le... que vous avez acheté chez nous ?
3. I'm sorry to hear that.
   Je suis désolé de l'apprendre.
4. I'll arrange for one of our consultants to call in and see if he can help.
   Je vais faire le nécessaire pour que l'un de nos consultants passe chez vous pour voir s'il peut vous aider.
5. Would it help if one of our specialists called in and spoke to your engineer?
   Est-ce que cela vous servirait que l'un de nos spécialistes passe chez vous pour parler à votre ingénieur ?
6. Of course you're using the system at maximum capacity now.
   Évidemment, vous utilisez maintenant le système à pleine capacité.
7. We have just brought out a more powerful system.
   Nous venons de sortir un système plus puissant.
8. If you're happy with the goods we supplied perhaps you would like to see our new range?
   Si vous êtes satisfaits des marchandises que nous fournissons, vous serez peut-être intéressés de voir notre nouvelle gamme.

E2 EXERCICES

A) Traduire en anglais :

1) *Est-ce que vous avez eu l'occasion d'examiner notre documentation ?*
2) *Je pense qu'il serait peut-être intéressant de revenir sur les avantages du système.*
3) *Peut-être voudriez-vous des renseignements supplémentaires ?*
4) *Je vous ai envoyé un devis il y a quelque temps.*
5) *Peut-être voudriez-vous avoir la possibilité de discuter à nouveau du devis et des besoins qui vous sont propres ?*

B) Traduire en anglais :

1) *Un devis.*
2) *Notre documentation.*
3) *Des renseignements supplémentaires.*
4) *Un prix intéressant.*
5) *Examiner en détail.*

CORRIGÉ

A) 1) Have you had time / a chance to study our literature?
2) It think it may help if I go over the advantages of the system again.
3) We / I wondered whether you would like further information?
4) I sent you a quote a little while ago.
5) We / I wondered whether you would like to discuss the quote and your special needs again.

B) 1) A quote.
2) Our literature.
3) Further information.
4) An attractive price.
5) Go over in detail.

XIV ▪ Correspondance

A PRÉSENTATION D'UNE LETTRE COMMERCIALE EN ANGLAIS

La correspondance commerciale en anglais a perdu son caractère formaliste et ampoulé. Les conseils quant au style sont donc les mêmes que pour une lettre ordinaire : écrivez simplement et clairement, en utilisant autant que possible des phrases courtes, et en évitant la familiarité excessive — sauf si le destinataire est un ami de longue date ; n'hésitez pas à aller à la ligne pour tout nouvel élément de votre message.

Pour ce qui est de la présentation, voici quelques règles simples :

1) Si vous n'écrivez pas sur du papier à en-tête, placez votre **adresse** (en tant qu'expéditeur) en haut à droite. (Numéro, ville ou localité, code postal). Ne pas y faire figurer votre nom, qui apparaîtra au-dessous de votre signature. Votre numéro de téléphone peut être indiqué en dessous (Phone :).

2) L'indication de la **date** vient sous cette adresse.

Si vous écrivez sur du papier à en-tête, la date est en haut à droite, sous l'en-tête. On n'indique pas le nom de la localité avant la date, à la différence du français.

May 22nd 199... / 23rd March, 199...

correspondent à la tradition britannique, et peuvent aussi apparaître sous la forme :

July 10th 199... / 12th June 199... / 5 April, 199...

La forme suivante, d'origine américaine, est maintenant fréquente dans l'usage international : **February 6, 199...**

Les abréviations peuvent aussi être utilisées :

8 Oct. 199... / Dec. 16th, 199...

On trouve des dates indiquées uniquement en chiffres, comme en français, mais un tel usage peut être dangereux car :

- en anglais britannique **4.3.85** signifiera comme en français le 4e jour du 3e mois (mars) ;
- alors qu'en anglais américain c'est le mois qui vient en tête et **4.3.85** signifiera donc le 3 avril. Le 4 mars serait, version U.S. : **3.4.85.**

3) La **référence**, quand elle existe, se place en haut à gauche,

sous l'en-tête, et comporte en général un numéro (code) et des initiales (auteur de la lettre et secrétaire ou dactylo).

4) L'**adresse du destinataire** (dite "**inside address**", adresse intérieure) figure en haut et à gauche (sous la référence si celle-ci existe). Elle comporte le nom et l'adresse du destinaire, individu ou société.

S'il s'agit d'une personne, elle commencera par **Mr, Mrs, Miss, Messrs (Messieurs), Ms** (qui ne préjuge pas du fait qu'une femme est mariée ou non, sigle souhaité par des associations féministes).

Ces abréviations peuvent être suivies d'un point (**Mr.** etc.). C'est une pratique courante en américain bien que les puristes n'aiment pas ce point qui vient après la dernière lettre d'un mot. Viennent ensuite l'initiale et le nom. Les Américains utilisant leurs deux prénoms, on aura **J.K. THOMSON** ou **John K. THOMSON.**

L'adresse (numéro, ville ou localité, code postal) vient ensuite.

Les Britanniques utilisent parfois — de plus en plus rarement — l'abréviation de courtoisie : Esq. (Esquire, à l'origine *écuyer*). **G. THOMSON, Esq.** ne signifie rien d'autre que : **Mr. G. THOMSON.**

5) Les formules de salutations les plus générales : **Dear Sir,** ou **Dear Madam,** ou **Dear Sirs.**

Elles sont suivies d'une virgule en anglais britannique, de deux points en anglais américain.

Malgré la présence de "Dear", ces formules correspondent au français *Monsieur* ou *Madame*, etc.

Mesdames se dira **Mesdames.**

L'américain utilisera **Gentlemen** : au lieu de **Dear Sirs** (G.B.)

Pour exprimer *Cher Monsieur,* etc., sous forme plus cordiale, plus personnelle, on fera figurer le nom du destinataire : **Dear Mr JOHNSON.**

Dans le cadre de relations fréquentes et de longue date,

A PRÉSENTATION D'UNE LETTRE COMMERCIALE EN ANGLAIS *(suite)*

l'usage américain permet l'utilisation du prénom : **Dear John,** la virgule étant dans ce cas considérée comme moins formelle.

Les formules de salutations se placent à gauche, et non au milieu de la feuille.

6) Le **corps** de la lettre. Deux présentations possibles :
- présentation décalée **(indented form)** où chaque paragraphe commence légèrement en retrait ;
- présentation compacte **(block form)** où toutes les lignes commencent à la verticale l'une de l'autre.

Double interligne entre les paragraphes.

7) Pas de longue formule finale à la française mais une **brève formule de conclusion,** en accord avec la salutation.
- En anglais britannique, si la lettre commance par **Dear Sir,** terminer toujours par **Yours faithfully.** Si elle commence par **Dear Mr THOMSON,** terminer par **Yours sincerely.** Une lettre de ton familier peut être terminée par **Yours.**
- Usage américain : **Yours faithfully** n'est guère utilisé, on utilise **Sincerely yours**, ou simplement **Sincerely**, parfois **Very truly yours.** Le premier mot — et le premier seulement — de la formule est toujours écrit avec une majuscule. La formule est suivie d'une virgule, avant la signature. La formule de clôture se place le plus souvent à gauche, à la verticale du premier mot du premier paragraphe.

8) **Signature** : à gauche le plus souvent, au-dessus du nom du signataire et de sa fonction. Si c'est une signature par procuration, le nom de la personne au nom de laquelle on signe apparaîtra au-dessus de la signature, et sera précédée de **p.p.** ou **per pro** (abréviation de per procurationem, latin pour *par procuration*).

9) Les **pièces jointes** sont signalées en bas de la lettre à gauche, par la mention : **Encl.** ou **Enc.** suivie de la nature des pièces.

B FORMULES TYPES UTILISÉES DANS LES LETTRES COMMERCIALES

1. *En réponse à votre demande de renseignements...*
   In reply (US : In response) to your inquiry...
2. *En réponse à votre lettre du...*
   In reply (US : In response) to your letter of...
3. *Nous vous envoyons ci-joint...*
   Please find enclosed...
   We enclose...
   We are enclosing...
4. *Nous accusons réception de...*
   We acknowledge receipt of...
   Thank you for... (GB/US). Pleased to receive... (US).
5. *J'ai l'honneur de confirmer...*
   I wish to confirm...
6. *Nous sommes heureux de vous faire savoir que...*
   We are pleased to let you know / inform you that...
7. *Nous sommes au / avons le / regret de vous faire savoir que...*
   We are sorry to let you know / inform you / that...
8. *Je vous serais reconnaissant de...*
   I would be grateful if you would...
   Would you be so kind as to...
   Please...
9. *Nous nous permettons de vous suggérer...*
   We venture to suggest...
10. *Une réponse rapide nous obligerait.*
    A prompt answer would be appreciated.
    An early reply will / would / oblige us.
11. *Si le jour et l'heure ne vous conviennent pas...*
    If the date and time are not convenient...
12. *Envoyez-nous la facture en double exemplaire.*
    Please send us the invoice in duplicate.
    Please send us two copies of the invoice.

B FORMULES TYPES UTILISÉES DANS LES LETTRES COMMERCIALES *(suite)*

13. *Faites-nous connaître vos meilleurs prix / conditions.*
Please quote us your best terms.
14. *Les prix que nous indiquons sont établis...*
We are quoting... price.
The prices we quote are...
15. *Si cet article ne vous convient pas...*
If this article does not suit you...
16. *Nos conditions habituelles sont...*
Our usual terms are...
17. *Nous accordons des réductions importantes...*
We grant / allow sizeable / substantial discounts...
18. *Le règlement devra être effectué / opéré / par...*
Payment will be by...
19. *Nous sommes prêts à vous accorder un escompte de 5%.*
We are prepared to grant you (a) 5% discount.
20. *Nous vous présentons nos excuses pour ce retard.*
We apologize for the delay.
21. *Les marchandises seront livrées...*
The goods will be delivered...
22. *Les marchandises n'étaient pas conformes à l'échantillon / à la commande.*
The goods were not true to sample / as per order.
23. *Faites-nous connaître par retour de courrier...*
Please let us know by return...
24. *Nous ne sommes pas en mesure de...*
We are not in a position to...
25. *Nous nous voyons contraints d'annuler la commande.*
We are sorry to have to cancel the order.
We regret having to cancel the order.

B FORMULES TYPES UTILISÉES DANS LES LETTRES COMMERCIALES *(suite)*

26. *Nous avons enregistré votre commande.*
We have booked your order.
27. *Les marchandises ont été expédiées la semaine dernière.*
The goods were sent / forwarded / shipped / last week.
28. *Nous vous passons commande de...*
We order / We wish to order / We are placing an order for...
29. *Nous vous serions reconnaissants d'avancer la date de livraison.*
We would be grateful if you could put the delivery forward.
30. *Nous aimerions obtenir des informations plus précises sur...*
We would like to have / to obtain / more detailed information / further information / further particulars / on...
31. *Nous sommes à votre disposition pour tout renseignement complémentaire.*
We are at your disposal for any further information.
32. *J'espère avoir de vos nouvelles prochainement.*
I am looking forward to hearing from you soon.
33. *Nous vous prions de croire à l'assurance de nos sentiments distingués.*
(GB) Yours faithfully, / Yours sincerely,
(US) Sincerely yours, / Sincerely.

C REMARQUES SUR LA FAÇON D'ÉCRIRE ET DE DIRE LES CHIFFRES

1. Ne pas oublier les virgules après les milliers :
   two thousand five hundred and fifty : 2,550
2. Les décimales s'écrivent avec un point là où le français utilise une virgule : (FR) : 1,5 % ; (GB) : **1.5 %**
   remarques : 0,5 % pourra s'écrire **0.5 % (oh,** *zéro :* prononcé [ou] **point five per cent)** ou simplement : **.5 % (point five per cent).**
   attention à :
   Augmenter de 5 %, **to increase / rise / by 5 %.** *Une augmentation de 5 %,* **an increase / a rise / of 5 % ; a 5 % increase / rise.** *Une augmentation de 10 % des prix de détail,* **a 10 % increase in retail prices.**
3. **hundred, thousand,** etc., sont invariables lorsqu'ils suivent un chiffre : **two thousand cars, three hundred people.** Ils prennent un **s** lorsqu'ils correspondent au français *des milliers de, des centaines de, des millions de* : **hundreds of cars, thousands of people, millions of dollars.**
4. Attention à la traduction du français *milliard* :
   (GB) **one thousand million,** (US) **one billion.**
   6 milliards : (GB) **six thousand million,** (US) **six billion.**
   Dans la langue internationale, l'usage américain l'emporte.
5. Attention aux formations adjectivales :
   une réunion de trois heures : **a three-hour meeting**
   un voyage de deux jours : **a two-day trip.**
6. Indications des monnaies : FR 600 FF ; G.B. £ 600 (six hundred pounds) ; U.S. $ 600 (six hundred dollars).
7. Au téléphone, 735 65 02 se dira **seven three five six five oh two.**
8. *Des dizaines, des vingtaines* seront souvent traduits par **dozens of :** *des dizaines de livres,* **dozens of books** (mais attention, *deux douzaines d'œufs,* **two dozen eggs**) (cf. 3).
   On trouve aussi :
   des vingtaines de livres, **scores of books**
   des dizaines de milliers de livres, **tens of thousands of books.**

XV ▪ Mesures

A POIDS ET MESURES

1. MASSE

Avoirdupois weight

	grain (gr)	0,0648 g	dram (dr)	1,77 g
	ounce (oz)	28,35 g	pound (lb)	0,454 kg
(GB)	stone	6,356 kg		
(GB)	quarter	12,7 kg	(US) quarter	11,34 kg
(US)	short hundredweight (short cwt)			45,4 kg
	hundredweight (cwt)			50,8 kg
	short ton			907 kg
	long ton			1 016 kg

Troy weight *(pour peser l'or, l'argent et les matériaux précieux)*

grain (gr)	0,0648 g
pennyweight (dwt)	1,555 g
ounce (oz)	31,10 g
pound (lb)	373,24 g

2. LONGUEURS

	inch (in)	2,54 cm	foot (ft)	30,48 cm
	yard (yd)	0,914 m	rod/pole/perch	5,029 m
	chain (ch)	20,116 m	furlong (fur)	201,168 m
	mile (mi)	1,609 km		
(GB)	league	4,827 km		

3. SURFACES

	square inch (sq. in.)	6,54 cm^2
	square foot (sq. ft.)	0,093 m^2
	square yard (sq. yd.)	0,836 m^2
	square rod (sq. rd)	25,293 m^2
	square chain	404,624 m^2
(GB)	rood	0,101 ha
	acre	0,405 ha
	square mile (sq. mi.)	2,590 km^2

4. VOLUMES

cubic inch (cu. in.)	16,387 cm³
cubic foot (cu. ft.)	0,028 m³
cubic yard (cu, yd.)	0,765 m³

5. MESURES LIQUIDES

	(GB)	(US)
gill (gi)	0,142 l	0,118 l
pint (pt)	0,568 l	0,473 l
quart (qt)	1,136 l	0,946 L
gallon (gal)	4,543 l	3,78 l

6. MESURES DE CAPACITÉ : dry measures

	(GB)	(US)	
pint	0,568 l	0,550 k	(pt)
quart	—	1,101 l	(qt)
gallon	4,543 l	—	
peck	9,087 L	8,809 l	(pk)
bushel	36,347 l	35,238 l	(bu)
quarter	290,781 l	—	

7. MESURES NAUTIQUES

fathom (= *brasse*)	1,828 m
cable (= *encâblure*)	185,31 m
nautical mile (= *mille marin*)	1,852 km
(sea) league (= *lieue*)	5,550 km

B VOITURE

1. PRESSION DES PNEUS

lb/sq. in. *ou* p.s.i.	20	21	22	24	26	28	30	34	40
kg/cm²	1,40	1,47	1,54	1,68	1,82	1,96	2,10	2,39	2,81

2. VITESSES

km/h	m.p.h. (miles per hour)	m.p.h.	km/h
50	30	40	65
60	37	50	80
70	43.5	60	96
80	50	70	112
90	56.25	80	129
100	62.5	85	136
110	69	90	145
120	75	95	152
130	81	100	160

3. CONSOMMATION

Remarque générale : là où le français utilise une formule abstraite sous forme de pourcentage (*n* litres aux cent kilomètres), l'anglais indique une distance effectivement parcourue pour une quantité donnée de carburant, le gallon ; mais ce dernier n'a pas la même valeur en Grande-Bretagne (4,54 l) et aux États-Unis (3,78 l) !

Litres/ 100 km	miles/ gallon (US)	miles/ gallon (GB)	Litres/ 100 km	miles/ gallon (US)	miles/ gallon (GB)
3	78.75	94.58	14	16.88	20.27
4	59.06	70.94	15	15.75	18.92
5	47.25	56.75	16	14.77	17.73
6	39.38	47.29	17	13.90	16.69
7	33.75	40.54	18	13.13	15.76
8	29.53	35.47	19	12.43	14.93
9	26.25	31.53	20	11.81	14.19
10	23.63	28.37	21	11.25	13.51
11	21.48	25.80	22	10.74	12.90
12	19.69	23.65	23	10.27	12.34
13	18.17	21.83			

C TAILLE ET POIDS D'UNE PERSONNE

1. TAILLE

1,55 m	5 ft 1 in	1,80 m	5 ft 11 in
1,60 m	5 ft 3 in	1,83 m	6 ft
1,65 m	5 ft 6 in	1,85 m	6 ft 1 in
1,70 m	5 ft 7 in	1,90 m	6 ft 3 in
1,75 m	5 ft 9 in		

2. POIDS

(FR)	(GB) en stone et pounds	(US) en pounds	(FR)	(GB) en stone et pounds	(US) en pounds
45 kg	6 st 1 lb	85 lb	75 kg	11 st 11 lb	165 lb
50 kg	8st	112 lb	76,3 kg	12 st	168 lb
55 kg	8 st 9 lb	121 lb	80 kg	12 st 9 lb	177 lb
57,2 kg	9 st	126 lb	82,6 kg	13 st	182 lb
60 kg	9 st 4 lb	130 lb	85 kg	13 st 4 lb	186 lb
63,5 kg	10 st	140 lb	90 kg	14 st 2 lb	198 lb
65 kg	10 st 3 lb	143 lb	95 kg	15 st	210 lb
70 kg	11 st	154 lb	100 kg	15 st 10 lb	220 lb

3. TAILLES DE VÊTEMENTS (avec tour de poitrine/hanches)

FR	36	38	40	42	44	46	48	50	52	54
GB	8	10	12	14	16	18	20	22	24	26
US	6	8	10	12	14	16	18	20	22	24
cm	76/71	81/86	86/91	91/97	97/102	102/107	107/112	112/117	117/122	122/127
pouces (in)	30/32	32/34	34/36	36/38	38/40	40/42	42/44	44/46	46/48	48/50

4. TOUR DE TAILLE (ceinture)

FR. (cm)	56	61	66	71	76	81	86	91	97	102	107	112	117	122	127
GB/US (in)	22	24	26	28	30	32	34	36	38	40	42	44	46	48	50

5. TOUR DE COU

FR (cm)	36	37	38	39	40	41	42	43
GB/US (in)	14	14 1/2	15	15 1/2	16	16 1/2	17	17 1/2

6. POINTURES (chaussures)

FR	36	37	38	39	40	41	42	43	44	45
GB	3	4	5	6	7	8	9	10	11	12
US	4 1/2	5 1/2	6 1/2	7 1/2	8 1/2	9 1/2	10 1/2	11 1/2	12 1/2	13 1/2

D TEMPÉRATURES

Pour convertir des degrés centigrades en degrés Fahrenheit, multiplier par 9/5 et ajouter 32.

Exemple : 10 °C donnent $\frac{10 \times 9}{5} + 32 = 50$ °F

Pour convertir des degrés Fahrenheit en degrés centigrades ou Celsius, retrancher 32 et multiplier par 5/9.

Exemple : 60 °F donnent $60 - 32 \times \frac{5}{9} = 15°5$

Quelques repères :

Température du corps humain . .	36,9 °C	=	98,4 °F
Congélation de l'eau	0 °C	=	32 °F
Ébullition de l'eau	100 °C	=	212 °F
	− 10 °C	=	14 °F

DEGRÉS D'ALCOOL

% VOL. (CEE)	PROOF AMÉRICAIN	PROOF ANGLAIS
34,3	68,5	60
37	74,3	65
40	80	70
43	86,6	75
45,7	91,4	80
48,5	97	85
50	100	87,7
51,4	108	90
54,2	108,5	95
57,1	114,2	100
59,9	120	105
62,8	125,6	110
65,6	131,3	115
68,5	137	120
71,4	142,7	125
74,2	148,4	130
77	154,1	135
80	160	—

PIÈCES - **COINS**
(GB)

a penny (one p)	1 p
two pence (two p)	2 p
five pence (five p)	5 p
ten pence (ten p)	10 p
twenty pence (twenty p)	20 p
fifty pence (fifty p)	50 p
one pound, a pound	£ 1

(US)

a cent (a penny)	1 ¢
five cents (a nickel)	5 ¢
ten cents (a dime)	10 ¢
twenty-five cents (a quarter)	25 ¢
half a dollar, a half-dollar ; *(fam.)* half a buck	50 ¢

BILLETS - **NOTES**
(GB)

one pound, a pound	£ 1
five pounds	£ 5
ten pounds	£ 10
twenty pounds	£ 20
fifty pounds	£ 50

(US)

a dollar, a dollar-bill ; *(fam.)* a buck	$ 1
five dollars, a five-dollar bill ; *(fam.)* 5 bucks	$ 5
ten dollars, a ten-dollar bill ; *(fam.)* 10 bucks	$ 10
twenty dollars, a twenty-dollar bill ; *(fam.)* 20 bucks	$ 20
one hundred dollars, a hundred-dollar bill ; *(fam.)* 100 bucks	$ 100

F DEVISES

LISTE DES PRINCIPALES DEVISES **(CURRENCIES)**, AVEC LEURS ABRÉVIATIONS USUELLES

Nom français	Devise (currency)	Abréviations anglaises	Code international
couronne (Danemark)	Danish kröne	D.Kr.	DKK
couronne (Norvège)	Norwegian krone	N.Kr.	NOK
couronne (Suède)	Swedish krona	S.Kr.	SEK
cruzado (Brésil)	Brazilian cruzado	(Brazil) cruz.	BRC
dollar U.S.	U.S. dollar	$	USD
dollar canadien	Canadian dollar	C.$	CAD
dollar de Hong Kong	Hong Kong dollar	H.K.$	HKD
dollar de Singapour	Singaporean dollar	Singapore $	SGD
drachme (Grèce)	Greek drachma	Dr.	GRD
escudo (Portugal)	Portuguese escudo	Port. Esc.	PTE
florin (Hollande)	Dutch guilder	Fl., Gldr.	NLG
franc belge	Belgian franc	B.Fr.	BEC
franc français	French franc	F.Fr.	FF
franc suisse	Swiss franc	S.Fr., S.F.	CHF
lire (italie)	Italian lira	It.L.	ITL

Glossary

ANGLAIS / FRANÇAIS

A

Ad, advertisement : *réclame, annonce, publicité.*
a/d, ... after date, 90 days after date : *... de date, à 90 jours de date.*
ad/val, ad valorem : *selon valeur.*
advertising campaign : *campagne publicitaire.*
agent, n. **:** *agent, commissionnaire.*
AGM, Annual General Meeting : *assemblée générale annuelle.*
a/o, account of : *compte de.*
A/P, Additional Premium : *complément de prime (assurances).*
appro', on appro', on approval : *à l'essai.*
A.A. / Automobile Association (GB) **:** *Touring Club.*
A.A.A. / American Automobile Association : *Touring Club.*
A.A.A. / American Association of Advertising Agencies : *groupement des agences de publicité* (US).
aar, against all risks : *contre tous risques.*
A.B.C. / Audit Bureau of Circulation.
above..., adv. **:** *au-dessus de...*
A/C, account / current : *compte courant.*
A/C. a/c. = alternating current : *courant alternatif.*
acc., acct : *account, compte.*
accident report : *constat d'accident.*
accommodation n. **:** *logement.*
acknowledgement, n. **:** *accusé de réception.*
addressee, n. **:** *destinataire.*
advertisement, n. **:** *une annonce.*
advice note : *avis d'expédition.*
advice of... : *avis de...*
after sales service, n. **:** *service après-vente.*
agency, n. **:** *agence.*

to agree, v. tr. **:** *être d'accord, donner son accord, convenir.*
agreement, n. **:** *accord.*
agt., agent, n. **:** *agent.*
air consignment note, n. **:** *lettre de transport aérien, L.T.A.*
air freight : *fret aérien.*
air waybill, air consignment note : *L.T.A., lettre de transport aérien.*
all in price : *prix tout compris.*
all risks insurance : *police d'assurance tous risques.*
allowed, adj. **:** *autorisé.*
a.m., ante meridiem : *du matin.*
to amend, v. tr. **:** *modifier.*
amount, n. **:** *montant, somme.*
to amount to..., v. intr. **:** *s'élever à...*
A.M.T. / Air Mail Transfer : *transfert de fonds par courier avion.*
amt, amount : *montant.*
apologies, n. pl. **:** *excuses.*
to appoint, v. tr. **:** *nommer.*
appointment, n. **:** *rendez-vous.*
appraisal, n. **:** *estimation.*
A.R., advice of receipt : *avis de réception.*
A./R., all risks (insurance) **:** *tous risques (assurance).*
arr., 1) **arrival :** *arrivée,* 2) **arrived :** *arrivé.*
to arrange for..., v. intr. **:** *faire le nécessaire pour que...*
arrangements, n. pl. **:** *dispositions.*
to make arrangements for... : *prendre des dispositions pour...*
arrival, n. **:** *arrivée.*
articulated lorry, n. **:** *camion semi-remorque*
A/S, Account Sales : *compte de ventes.*
a/s, ... after sight, 30 days after sight : *... de vue, à 30 jours de vue.*
A.S.P., American Selling Price : *prix de détail américain.*

asgd, assigned : *transféré.*
assembly, n. **line :** *chaîne de montage.*
av., average : *moyen.*
A/V, ad valorem : *selon la valeur.*
Ave, ave, avenue : *avenue.*
available, adj. **:** *disponible.*
award, v. tr. (a contract) **:** *adjuger (un marché).*
AWB, Air waybill : *L.T.A., lettre de transport aérien.*

B

bal., balance, n. **:** *solde.*
balance, n., **due :** *solde dû.*
bank transfer, n. **:** *virement bancaire.*
bbl., barrel, n. **:** *barrel.*
b.d., b/d., brought down, balance brought down : *solde à nouveau.*
B/D, bank draft : *traite tirée sur une banque.*
below..., adv. **:** *en dessous de...*
B/E, 1) **bill of entry :** *rapport en douane, déclaration de détail.*
2) **bill of exchange :** *effet de commerce.*
B.I.S., Bank for International Settlements : *B.R.I., banque des règlements internationaux.*
(on) **behalf** (of...) **:** *pour le compte de...*
bf., b.f., b/f., brought forward : *report.*
bill, n. (US) **:** *facture.*
bill, n. (GB) **:** *addition.*
bill of exchange : *lettre de change.*
bill of lading : *connaissement.*
Bk., bank, n. **:** *banque.*
bl., 1) **barrel :** *tonneau, fût,*
2) **bale :** *balle.*
blank, adj. **:** *en blanc.*
bonus, n. **:** *bonus, prime, bonification.*
B.O.T., Board of Trade (GB) **:** *ministère du commerce.*
box, n. **:** *boîte, carton.*

branch, n. **:** 1) *succursale,*
2) *bureau*
brand, n. **:** *marque.*
own brand, n. **:** *marque de distributeur.*
breakdown, n. **:** *panne.*
to break down (machine) v. intr. **:** *tomber en panne.*
B.R.I., Brand Rating Index (US) **:** *indice d'évaluation des supports.*
to bring out, v. tr. **:** *lancer, sortir.*
brochure, n. **:** *brochure.*
bros., brothers, n. pl. **:** *frères, association de personnes.*
B/S, 1) **balance sheet :** *bilan,*
2) **bill of sale :** *acte de vente.*
bt. fwd., brought forward : *report.*
bulk transport : *transport en vrac.*
business address : *adresse commerciale.*
business card : *carte professionnelle.*
buyer, n. **:** *acheteur.*

C

C.A., chartered accountant (GB) **:** *expert comptable.*
C.A.C., currency adjustment charge : *surcharge monétaire.*
C.A.F., currency adjustment factor : *surcharge monétaire.*
can, n. **:** *bidon*
to cancel, v. tr. **:** *annuler.*
carriage, n. **:** *transport, port.*
carriage forward : *port dû.*
carriage paid to... : *port payé jusqu'à...*
carrier, n. **:** *transporteur.*
carrying capacity : *charge utile.*
case, n. **:** *caisse.*
(in) **cash :** *en espèces, en numéraire.*
to cash in, v. int. **:** *encaisser.*
C.B.D., cash before delivery : *paiement avant livraison.*

cc., charges collect : *frais dus.*
cc., cubic centimetre : *centimètre cube.*
CCTV, closed circuit television : *télévision en circuit fermé.*
CEO, chief executive officer : *président directeur.*
certificat, n., of receipt (transport) **:** *attestation de prise en charge.*
c.f., carried forward : *à reporter, reporté.*
C & F, cost and freight : *coût et fret.*
cge pd., carriage paid : *port payé.*
chq., cheque, n. (GB) **:** *chèque.*
to charge, v. tr. **:** *faire payer.*
chartered accountant : *expert comptable.*
CIA, cash in advance : *paiement d'avance.*
C.I.F., cost, insurance, freight : *C.A.F., coût, assurance, fret.*
C.I.F. & E., cost, insurance, freight and exchange variations / or bankers charges : *coût, assurance, fret et fluctuations de change / commissions bancaires.*
C.I.F., carriage, freight and insurance paid to... : *fret / port payé assurance comprise jusqu'à...*
circular, n. **:** *lettre circulaire.*
claim, n. (insurance) **:** *demande d'indemnité.*
clause, n. **:** *clause.*
to clear, v. tr., **customs :** *dédouaner.*
C/N, credit note : *facture d'avoir.*
Co., company : *société, compagnie.*
C/O, care of... : *aux bons soins de...*
C.O.D., cash on delivery : *envoi contre remboursement, règlement à la livraison.*
to collect, v. tr. (goods) **:** *enlever (des marchandises).*
cover note : *note de couverture.*
commission, n. **:** *commission, pourcentage.*
compensation, n. **:** *indemnité.*
competitive, , adj. **:** *compétitif, concurrentiel.*
to complain, v. intr. **:** *réclamer.*
complaint, n. **:** *réclamation.*

complimentary, (ticket), adj. **:** *(billet) gracieux, gratuit.*
compulsory, adj. **:** *obligatoire.*
to confirm, v. tr. **:** *confirmer.*
consignee, n. **:** *destinataire, consignataire.*
consignment, n. **:** *envoi.*
consignment note : *lettre de voiture.*
consignor, n. **:** *expéditeur, consignateur.*
cont., (to be) **continued :** *à suivre.*
(to be in) **contact** (with...) **:** *être en communication avec...*
container, n. **:** *conteneur.*
contract, n. **:** *contrat.*
copy, n. **:** *exemplaire, copie de.*
corp., corporation, n. **:** *compagnie.*
COS, C.O.S., cash on shipment : *règlement à l'expédition.*
cost, n. **:** *coût.*
cost price : *prix de revient.*
cover, n. (insurance) **:** *couverture (assurance).*
to cover, c. tr. (insurance) **:** *assurer.*
cover note : *police provisoire, note de couverture.*
C.P., carriage paid : *port payé.*
C.P., charter-party : *charte partie.*
C.P.A., certified public accountant (US) **:** *expert comptable.*
CPT, cost per thousand : *coût au 1000.*
C.R., current rate : *taux en vigueur.*
Cr., credit, creditor : *crédit, créancier.*
crate, n. **:** *caisse à claire-voie.*
credit advice : *avis de crédit.*
creditor, n. **:** *créancier.*
credit terms : *facilités de crédit.*
CTD, combined transport document : *DTC, document de transport combiné.*
cu. ft., cubic foot : *pied cube, pied cubique (mesure).*
curr., currt., current : *du mois en cours, actuel.*
currency, n. **:** *monnaie.*

current, adj. **:** *en vigueur.*
customer, n. **:** *client.*
customs clearance : *dédouanement.*
customs dues : *droit de douane.*
customs entry form : *déclaration en douane.*
C.W.O., c.w.o., cash with order : *paiement à la commande, règlement à la commande.*
cwt., hundredweight : *mesure de poids* = (GB) 50,8 kg ; (US) 45,4 kg.

D

D.A., deposit account : *compte de dépôt.*
D/A, documents against acceptance : *documents contre acceptation.*
D.A.F., delivered at frontier : *rendu frontière.*
damage, n. **:** *dommages, avarie.*
damage, n., **in transit :** *avarie de route.*
damages, n. pl. **:** *dommages - intérêts.*
... days after sight : *à ... jours de vue (traite).*
D.C., direct current : *courant continu.*
deadline, n. **:** *date limite, délai de...*
debit advice : *avis de débit.*
debtor, n. **:** *débiteur.*
decrease, n. **:** *réduction.*
to decrease, v. tr. **:** *réduire.*
dd., d/d., del'd, delivered : *rendu, livré.*
defect, n. **:** *défaut, vice.*
delay, n. **:** *retard.*
del'd., delivered : *livré, rendu.*
to deliver, v. tr. **:** *livrer.*
delivery, n. **:** *livraison.*
delivered at frontier, (DAF) : *rendu frontière.*
delivered duty paid, (DDP) : *rendu droits acquittés.*
delivery note : *bon de livraison.*
dely., delivery : *livraison.*
department, n. **:** *service.*
deposit, n. **:** *acompte, arrhes.*

dept., department : *service, département.*
to despatch, v. tr. **:** *expédier, envoyer.*
directeur, n. **:** *membre du conseil d'administration.*
discount, n. **:** *rabais, escompte.*
to discuss, v. tr. **:** *discuter.*
to dispatch, v. tr. **:** *expédier.*
to display, v. tr. **:** *exposer.*
display, n. **:** *présentoir.*
document(s) : *document(s).*
documentation, n., **against acceptance, D/A :** *documents contre acceptation.*
documents, n., **against payment, D/P :** *documents contre paiement.*
domestic, adj., **appliances :** *appareils ménagers.*
domestic, adj., **market :** *marché intérieur.*
domestic, adj., **transport :** *transport intérieur.*
doz., dozen : *douzaine.*
D/P, documents against payment : *documents contre paiement.*
Dr. 1) **debtor :** *débiteur, débit,*
2) **doctor** (of medecine) **:** *docteur.*
draft, n., **sight draft :** *traite, traite à vue.*
to drop, v. tr. **:** *laisser tomber.*
to drop off, v. tr. (transport) **:** *livrer, décharger.*
Dr to., draw to : *à l'ordre de...*
drum, n. **:** *fût, baril.*
d/s, d.s., days : *jours.*
DTP, desk top publication, desk top publishing : *PAO, publication assistée par ordinateur.*
D/W, dock warrant : *certificat d'entrepôt, bulletin de dépôt, warrant.*

E

E.C., European Community (US) **:** *Communauté Économique Européenne.*
E.C.G.D., Export Credit Guarantee Department (GB).

E.E., errors excepted : *sauf erreur.*
E.E.C., European Economic Community (GB) **:** *Communauté Économique Européenne.*
e.g., exempli gratia : *par exemple.*
E + O.E., errors and omissions excepted : *sauf erreur ou omission.*
Enc., Encl., enc., enclosure(s) : *pièce(s) jointe(s).*
engaged, adj. **:** *en ligne (téléphone), occupé.*
enquiry, n. **:** *demande de renseignements.*
est., established, past. part. **:** *fondé, créé,*
established 1945 : *créé / fondé en 1945.*
estate agent : *agent immobilier.*
ETA, Estimated Time of Arrival : *heure d'arrivée prévue.*
exchange rate : *taux de change.*
exhibit, n. (US) **:** *exposition.*
exhibit, n. (GB) **:** *article.*
exhibition, n. **:** *exposition.*
exhibitor, n. **:** *exposant.*
Eximbank, Export Import Bank (US) **:** *banque américaine du secteur public spécialisée dans le financement et l'assurance du commerce extérieur aux États-Unis, voir aussi ECGD (GB).*
expenses, n. pl. **:** *frais.*
travel expenses : *frais de déplacement.*
export / import licence : *licence d'exportation / importation.*
Exq., ExQuai : *à quai.*
Exs., ExShip : *ex navire.*
ExW., Ex works : *à l'usine.*

F

F.A.A., f.a.a., free of all average : *franc d'avarie, franc de toute avarie.*
factory, n. **:** *usine.*
failure, n. **to pay... :** *défaut de paiement...*
fair, n. **:** *salon, faire, exposition.*

F.A.Q., f.a.q. : 1) **free alongside quay :** *franco à quai ;*
2) **fair average quality :** *qualité courante, qualité commerciale, bonne qualité marchande.*

F.A.S., free alongside ship : *franco le long du navire.*

to fax, v. tr. **:** *télécopier.*

F.B.L., FIATA combined transport bill of lading : *connaissement du transport combiné FIATA.*

F.C.L., full container load : *conteneur complet.*

Fee, n. **:** 1) *droit, taxe,*
2) *honoraire.*

F.I.C.M.A., Fellow of the Institute of Cost and Management Accountants.

Floating Policy : *police flottante.*

F.O.B., free on board : *F.A.B., franco à bord.*

f.o.c., F.O.C., free of charge : *gratuit, franco, franco de port et d'emballage.*

folder, n. **:** *dépliant.*

folg., following : *suivant(e), suivante(s).*

F.O.R., F.O.T., free on rail, free on truck : *franco wagon.*

foreign currency : *devises étrangères.*

forklift truck : *chariot de manutention, chariot élévateur.*

to forward, v. tr. **:** *expédier, envoyer, faire suivre.*

forwarding agent : *transitaire.*

forwarding, adj., **instructions :** *instructions d'expédition.*

f.g.a., free of general average : *franc d'avarie grosse, franc d'avarie commune.*

f.p., fully paid : *intégralement réglé(e)s.*

F.P.A., free of particular average : *F.A.P., franc d'avaries particulières.*

F.P.A.D., freight payable at destination : *fret payable à destination.*

free, adj. **:** *gratuit, libre.*

F.O.B., free, adj., **on board :** *franco à bord.*

F.O.R., free, adj., **on rail :** *franco wagon.*
F.R.C., free carrier : *franco transporteur.*
free, adj., **of all charges :** *franco de tous frais.*
free, adj., **of charge :** *gratuit.*
freephone, freefone : *numéro vert, numéro d'appel gratuit.*
freight charges : *frais de transport.*
freight collect : *fret payable à destination.*
freight forward : *fret payable à destination.*
freight plane : *avion cargo.*
freight rate : *tarif marchandises.*
frt., freight : *fret.*
ft., foot : *pied (30.48 cm.).*
to fulfill, v. tr., **conditions :** *remplir des conditions.*
full, adj., **load :** *chargement complet.*
fwd., forward : *à terme.*

G

G.A., g.a., general average : *avarie grosse, avarie commune.*
gal., gall., gallon : *mesure de capacité = 4.54 litres (GB), 3.78 litres (US).*
general average : *avarie commune.*
to get back to, v. intr. **:** *rappeler, contacter à nouveau.*
goods, n. pl. **:** *marchandise(s).*
G.P., General Practitioner : *médecin généraliste.*
groupage, n. **:** *groupage.*
gross weight : *poids brut.*
gr. wt., gross weight : *poids brut.*
gtd., guaranteed : *garanti.*
guarantee, n. **:** *garantie.*
guar., guaranteed : *garanti(e).*

H

to handle, v. tr. **:** *manutentionner.*
handling, n. **:** *manutention.*

to hand over, v. tr. **:** *remettre, délivrer.*
hardware, n. **:** *matériel.*
(long) **haul,** n. **:** *(long) courrier.*
haulage (road haulage) **:** *transport routier.*
to help, v. tr. **:** *aider.*
herewith, adj. **:** *ci-joint.*
hgt., height, n. **:** *hauteur.*
H.O., Head Office : *siège social.*
to hold, v. tr. **:** 1) *tenir, contenir,*
2) *patienter,* v. tr. (au téléphone).
to hold, v. tr., **at disposal :** *tenir à disposition.*
H.P., hire purchase : *vente à tempérament.*
H.P., h.p., horse power : *puissance en chevaux.*
hr(s), **hour**(s) **:** *heure(s).*

I

I.C.C., Interstate Commerce Commission (US) **:** *Commission fédérale pour la réglementation du commerce.*
Inc., incorporated (US) **:** *constitué(e) en société.*
ince, ins, insce., insurance : *assurance.*
incl., inclusive : *tout compris.*
inclusive price : *prix forfaitaire.*
incoming, adj. **:** *en provenance de l'étranger / de l'extérieur.*
inconvenience, n. **:** *dérangement.*
increase, n. **:** *augmentation.*
to increase, v. tr. **:** *augmenter.*
indent, n. **:** *ordre d'achat.*
information, n. **:** *renseignement.*
instalment, n. **:** *fraction,*
payment by instalments : *règlement à tempérament.*
insurance, n. **:** *assurance.*
insurance broker : *courtier en assurance.*
to insure, v. tr. **:** *assurer.*
(to be) **insured with... :** *être assuré par...*

interest, n. : *intérêt.*
introductory phase : *prix de lancement.*
inventory, n. : *stock.*
invoice, n. : *facture.*
to invoice, v. tr. : *facturer.*
Internal Revenue Service (US) : *le fisc.*
item, n. : *article.*

L

labelling, n. : *étiquetage.*
to label, v. tr. : *étiqueter.*
labour, n. : *main d'œuvre.*
to launch, v. tr. : *lancer.*
leak, n. : *fuite.*
lb(s), **pound**(s) : **livre**(s) : *unité de poids de 454 g.*
L/C, letter of credit : *lettre de crédit.*
L.C.L., less than container load : *charge incomplète de container.*
ldg, loading : *chargement.*
liability, n. : *responsabilité,*
  product liability : *responsabilité civile des produits.*
licence, n., **driving licence** : *permis de conduire.*
liquidation, n. : *faillite.*
literature, n. : *documentation.*
load, n. : *chargement.*
L.P.G., Liquified Petroleum Gas : *gaz de pétrole liquéfié (G.P.L.).*
L.S.D., loading, storage and delivery : *mise à terre, magasinage et livraison.*
LTD., private limited company : *sarl, société à responsabilité limitée.*
load, n. : *chargement,*
  useful load : *charge utile.*
to load, v. tr. : *charger.*
loading space : *espace de chargement.*

to look through, v. tr. (a catalogue) **:** *parcourir un catalogue.*
lorry, n. **:** *camion.*
loss, n. **:** *perte.*

M

m., million(s), **mile**(s), **minute**(s) **:** *million(s), mille(s), minute(s).*
mail order : *vente par correspondance.*
maintenance, n. **:** *entretien.*
manager, n. **:** *directeur.*
markdown, n. **:** *démarque, réduction.*
market, n. **:** *marché.*
market research : *étude du marché.*
markup, n. **:** *marge bénéficiaire.*
M.D., Doctor of Medecine : *docteur en médecine.*
m.d., ... months after date : *à ... mois de date. à ... mois d'échéance.*
to meet, v. tr. **:** *rencontrer.*
to meet conditions : *remplir / satisfaire des conditions.*
meeting, n. **:** *réunion.*
to be **in a meeting :** *être en réunion.*
mgr., manager : *directeur.*
message, n. **:** *message, une communication.*
Messrs : *Messieurs.*
method, n., **of payment :** *mode de paiement.*
mo(s), **month**(s) **:** *mois.*
M.O.B., Mail Order Business : *vente par correspondance.*
money back : *remboursement.*
m.p.g., miles per gallon : *milles au gallon (consommation d'une voiture).*
Mr : *Monsieur.*
Mrs : *Mme.*
Ms : *Mademoiselle / Madame.*
m/s, ... months after sight : *à ... mois de vue (traite).*

N

n.a., not available : *non disponible.*
named place of delivery : *lieu de livraison convenu.*
N.C.V., non commercial value : *sans valeur commerciale (échantillon).*
to negotiate, v. tr. **:** *négocier.*
No., number : *numéro.*
notice, n. **:** *avis, préavis.*
to notify, v. tr. **:** *notifier.*

O

o/a, on account of : *pour le compte de, à l'acquit de.*
O.D., O/D, overdrawn : *à découvert.*
offer, n., **trial offer :** *offre d'essai.*
to offset, v. tr. **:** *compenser.*
OIR, offers in the region of £... : *offres autour de £...*
o/o., order of : *à l'ordre de.*
open policy : *police ouverte.*
operator, n. (telephone) **:** *standardiste.*
O.R., owner's risk : *aux risques et périls du propriétaire.*
order, n. **:** *commande.*
to order, v. tr. **:** *commander, passer commande.*
order book : *carnet de commande.*
order form : *bon de commande.*
order number : *numéro de commande.*
OTE, on target earnings : *salaire, commission comprise (commission estimée).*
outgoing, adv. **:** *envoyé à l'étranger / à l'extérieur.* (outgoing, adj. ; extraverti).
(sales) **outlet,** n. **:** *point de vente, débouché.*
to outsource, v. intr. **:** *s'approvisionner par sous-traitance.*
outstanding payment : *montant restant à payer.*

over..., adv. **:** *au-dessus de...*
to overcharge, v. tr. **:** *demander un prix excessif.*
overdrawn, adj. **:** *à découvert,*
overdrawn account : *compte à découvert, compte débiteur.*
overdue, adj. **:** *en retard.*
oz., ounce : *unité de poids = 28.35 g.*

P

p.a., per annum : *par an.*
P.A., Personal Assistant : *secrétaire de direction.*
P + D, pickup and delivery : *enlèvement et livraison.*
package, n. **:** *colis, emballage.*
packaging, n. **:** *conditionnement.*
packing, n. **:** *emballage.*
particulars, n. pl. **:** *précisions.*
part load : *chargement de détail.*
part shipment : *expédition partielle.*
pat., patent, n **:** *brevet.*
patd., patented, adj. **:** *breveté.*
to pay, vb. tr. **:** *payer.*
payable, adj. **:** *exigible.*
to pay cash : *payer comptant.*
payee, n. **:** *bénéficiaire.*
payment, n. **:** *règlement.*
P.C., personal computer : *ordinateur personnel, micro-ordinateur.*
pcl., parcel : *colis.*
p.d., paid : *payé.*
per pro, per procurationem, loc. **:** *par procuration, pour le compte de.*
to pick up, v. tr. (transport) **:** *enlever, prendre.*
pkg., package : *colis.*
to place, v. tr., **an order :** *passer commande.*
plant, n. **:** *machinerie, usine de production.*
PLC, plc, public limited company : *S.A., société anonyme.*

P.O., 1) **Post Office :** *bureau des postes,*
2) **Postal Order :** *mandat postal.*
P.O.A., price on application : *prix fourni sur demande.*
P.O.D., pay on delivery : *paiement à la livraison.*
P.O.E., 1) **port of embarkation :** *port d'embarquement, port de chargement.*
2) **port of entry :** *port d'entrée.*
policy, n., **insurance policy :** *police, police d'assurance.*
P.O.S., point of sale : *point de vente.*
to postpone, v. tr. **:** *remettre.*
P.R., public relations : *relations publiques.*
P.R., port risks : *risques de port.*
P.R.O., Public Relations Officer : *chef du service des relations publiques.*
premises, n. pl. **:** *locaux.*
premises, on the premises : *sur place.*
premium, n., **insurance premium :** *prime d'assurance.*
price, n. **:** *prix,*
cost price : *prix d'achat.*
to process (an order), v. tr. **:** *exécuter (une commande).*
production line : *chaîne de production.*
product line : *line de produits.*
profitability, n. **:** *rentabilité.*
profitable, adj. **:** *rentable.*
prox., proximo : *du mois prochain, du mois à venir.*
pt., pint : *pinte, mesure de capacité = 5.68 dl.*
P.T.O., please turnover : *T.S.V.P., Tournez s'il vous plaît.*
purchase, n. **:** *achat.*
purchase price : *prix d'achat.*
Purchasing Manager : *Directeur des Achats.*

Q

quality control : *contrôle de qualité.*
to query, v. tr. **:** *se renseigner sur.*
  to query an invoice : *demander des précisions sur une facture.*
quote, n. **:** *devis.*
to quote, v. tr. **:** *citer.*
to quote, v. tr., **a price :** *indiquer un prix, communiquer un prix.*

R

railway, n. **: chemin de fer.**
range, n. **:** *gamme.*
rate, n. **:** *taux.*
R/D, refer to drawer : *voir le tireur.*
R + D, R and D, Research and Development : *recherche et développement.*
re., with reference to, relating to : *concernant, au sujet de, à propos de.*
rebate, n. **:** *une remise.*
recd., received : *reçu(es).*
receipt, n. **:** *reçu, quittance.*
rect., receipt : *reçu.*
ref., reference : *référence.*
refrigerated lorry : *camion frigorifique.*
refund, n. **:** *remboursement.*
to refund, v. tr. **:** *rembourser.*
reg., regd., registered : *recommandé (colis, courrier).*
registered (head) **office :** *siège social.*
price increases : *majoration des prix.*
registered trade mark : *marque déposée.*
regulations, n. pl. **:** *règlements.*
reg. office, registered (head) **office :** *siège social.*
reliable, adj. **:** *fiable.*

remittance, n. **:** *versement.*
remittance advice : *avis de versement.*
repayment, n. **:** *remboursement.*
representative, n. **:** *représentant.*
retail, n. **:** *détail.*
to retail, v. tr. **:** *vendre au détail.*
retail price : *prix de détail.*
retailer, n. **:** *détaillant.*
return load : *fret de retour.*
revolving credit : *credit renouvelable.*
rly., railway : *chemin de fer.*
road haulier : *transporteur routier.*
road haulage : *transport routier.*
roro, roll-on, roll-off : *ro-ro, roulage, chargement, déchargement.*
R.O.S., return on sales : *taux de marge.*
run (transport), n. **:** *trajet.*
Ry., ry., railway (GB) **:** *chemin de fer.*

S

S.A.D., Single Administrative Document : *D.A.U., Document Administratif Unique.*
sale, n. **:** *vente.*
salesman, n. **:** *vendeur.*
salesgirl, saleslady, saleswoman, n. **:** *vendeuse.*
salesperson, n. **:** *vendeur, vendeuse.*
sale price : *prix de vente.*
sales area : *secteur de vente.*
Sales Director : *directeur des ventes.*
Sales Engineer : *ingénieur commercial.*
Sales Manager : *Directeur des Ventes.*
sample, n. **:** *échantillon.*
savings, n. pl. **:** *des économies.*
to sell, v. tr. **:** *vendre.*
Sec., 1) **second :** *seconde,*
2) **secretary :** *secrétaire.*

secy., secretary : *secrétaire.*
sen., senr., senior : *doyen (associé) principal.*
seller, n. **:** *vendeur.*
to send, v. tr. **:** *expédier, envoyer.*
sender, n. **:** *expéditeur.*
settlement, n. **:** *règlement.*
sgd., signed : *signé(es).*
to ship, v. tr. **:** *charger, expédier.*
shipper, n. **:** 1) *chargeur,*
2) *expéditeur.*
shipment, n. **:** 1) *envoi,*
2) *chargement* (US).
shipping documents : *documents d'expédition.*
shipt., shipment : *expédition ; chargement.*
short : *à court.*
short delivery : *livraison incomplète.*
site, n., **building site :** *site, chantier.*
S.M.E., small or medium-sized enterprise : *P.M.E., petite ou moyenne entreprise.*
S/N, S.N., shipping note : *permis d'embarquement, note de chargement.*
software, n. **:** *logiciel.*
sole, adj. **:** *seul, unique, exclusif.*
sole agent : *agent exclusif.*
sole agency : *agence exclusive.*
specifications (sheet) **:** *fiche technique.*
SS, S/S, ss, s/s, steamship : *navire à vapeur, vapeur, paquebot.*
to stack, v. tr. **:** *empiler.*
s.t., short ton : *907 kg.*
st., stone : *unité de poids = 6.35 kg.*
S.T.D., S.T.D. code : *code automatique interurbain (téléphone).*
std., standard, standard type : *ordinaire, courant, de type standard.*
in stock : *en magasin, en rayon.*
stock control : *gestion des stocks.*
stolen adj. **:** *volé.*

storage, n. : *stockage, entreposage.*
to store, v. tr. : *stocker.*
subsidiary, n. : *filiale.*
subsidiary, adj. (company) : *filiale.*
supplier, n. : *fournisseur.*
to supply, v. tr. : *fournir.*

T

t., ton : *tonne.*
tariff, n. : *tarif.*
tarpaulin, n. : *bâche.*
tax, n. : *impôt.*
temp., temporary : *temporaire,*
  a temp : *une secrétaire intérimaire.*
tender, n., **an invitation to tender** : *un appel d'offres.*
terms of sale : *conditions de vente.*
territory, n. : *territoire,*
  sales territory : *secteur de vente.*
through bill of lading : *connaissement direct.*
tin (GB), n. : *boîte en fer (blanc).*
T.M.O., telegraphic money order : *mandat télégraphique.*
toll, n. : *péage.*
tollfree : *numéro vert.*
to tow, v. tr. : *remorquer.*
tr., truck : *camion, wagon.*
trade journal : *revue professionnelle.*
trade magazine : *magazine professionnel.*
trade name : *raison sociale.*
traffic, n. : *circulation.*
transaction, n. : *opération.*
in transit : 1) *en course de transport,*
  2) *passage temporaire.*
transport charges : *frais de transport.*
transhipment : *transbordement.*
in transit : *en cours de route.*

goods in transit : *marchandises en cours de transport*
to transport, v. tr. **:** *transporter.*
trial order : *commande à l'essai.*
truck, n. **:** *camion.*
T.T., telegraphic transfer : *versement télégraphique.*
turnover, n. **:** *chiffre d'affaires.*
T.V.R., television rating : *indice d'écoute.*

U

under..., adj. **:** *en dessous de...*
undertaking, n. **:** *engagement.*
unit price : *prix unitaire.*
unless otherwise agreed : *sauf stipulation contraire.*
to unload, v. tr. **:** *débarquer, décharger.*
unpaid, adj. **:** *impayé.*
usually, adv. **:** *d'habitude.*
user, n. **:** *usager.*
usual, adj. n. **:** *habituel.*
u/w., underwriter : *assureur.*

V

v., versus : *contre.*
value, n. **:** *valeur.*
V.A.T., value added tax : *taxe à la valeur ajoutée.*
V.C., Vice Chairman : *Vice Président.*
V.C.R., video cassette recorder : *magnétoscope à cassettes.*
vessel, n. **:** *navire.*
V.O., voice over : *commentaire sur image.*
voucher, n. **:** *bon.*

W

to wait, v. intr. **:** *attendre, patienter.*
to waive, v. tr. **:** *renoncer à.*
to warehouse, v. tr. **:** *stocker.*

warehousing, n. **:** *entreposage.*
warehouse, n. **:** *entrepôt.*
warning, n. **:** *avertissement.*
warr., warranty : *garantie.*
waterproof : *étanche.*
waybill : *lettre de transport.*
wgt., wt, weight : *poids.*
whf., wharf : *quai.*
wholesale prices : *prix de gros.*
wholesaler, n. **:** *grossiste.*
whse., warehouse : *entrepôt.*
whsle., wholesale : *en gros.*
wk., week : *semaine.*
wkly, weekly : *hebdomadaire, par semaine.*
W.P. 1) **wordprocessor :** *machine à traitement de texte,*
2) **wordprocessing :** *le traitement de texte.*
W.P.A., w.p.a., with particular average : *avec avarie particulière.*
w.p.m., words per minute : *mots à la minute.*
wt., weight : *poids.*
W/W., warehouse warrant : *récépissé-warrant.*

X

X-ml, X-mll, ex-mill : *départ usine.*
X-ship, ex-ship : *au débarquement.*
x-stre, ex-store : *disponible, départ magasin.*
x-whf, ex-wharf : *franco à quai.*
x-whse, ex-warehouse : *disponible, départ entrepôt.*
x-wks, ex-works : *départ usine.*

Y

Yr. 1) **year :** *année,*
2) **your :** *votre, vos.*
Yrs. 1) **years :** *années.*
2) **yours :** *le vôtre, la vôtre, les vôtres.*

Lexique

FRANÇAIS / ANGLAIS

A

abs, aux bons soins de : *c/o, care of.*
accord, n. m. **:** *agreement.*
accusé de réception, loc. m. **:** *acknowledgement.*
achat, n. m. **:** *purchase.*
acheteur, n. m. **:** *buyer.*
actuellement, adv. **:** *at present.*
addition, n. f. **:** *bill.*
adjuger, v. tr. (un marché) **:** *to award a contract.*
adresse, n. f. commerciale **:** *business address.*
affrêteur, n. m. **:** *carrier.*
A.F.N.O.R., Association Française de Normalisation : *French association for the setting of national industrial standards.*
A.F.P., Agence France-Presse : *French Press Agency.*
agence, n. f. **:** *agency.*
agent, n. m., **exclusif :** *sole agent.*
agent, n. m., **immobilier :** *estate agent.*
agréé, adj. **:** *authorized, approved.*
aider, v. tr. **:** *help.*
A.I.T.A., Association Internationale des Transports Aériens : *I.A.T.A., International Air Transport Association.*
à l'usine, n. f., enlevé à l'usine **:** *ex works.*
annuler, v. tr. **:** *to cancel.*
A.N.P.E., Agence Nationale pour l'Emploi : *national agency for the unemployed.*
A.P.E.C., Association pour l'Emploi des Cadres : *employment office for unemployed executives.*
appareil, n. m., **ménager :** *domestic appliance.*
appel, n. m., **d'offres :** *a call for tenders.*
appointement, n. m. **:** *salary.*
après-vente, loc. **:** *after sales.*
à quai, loc. **:** *ex quai.*
arr., arrondissement : *district, borough, administra-*

tive area, part of a town, usually with own mayor and council.
A.O.C., Appellation d'Origine Contrôlée (wines).
arrhes, n.f.pl. **:** *deposit.*
arrivée, n. f. **:** *arrival.*
article, n. m. **:** *item.*
assurance, n. f. **:** *insurance.*
assurer, v. tr. **:** *to cover, to insure.*
s'assurer, v. pron. **:** *to take out insurance.*
au-dessus de, loc. adv. **:** *over, above.*
augmenter, v. tr. **:** *to increase.*
augmentation, n. f. **:** *increase.*
autorisé, adj. **:** *allowed.*
avantageux, adj., **conditions avantageuses :** *attractive terms.*
avarie, n. f. **:** *damage.*
avarie, n. f., **de route :** *damage in transit.*
avarie, n. f., **commune :** *general average.*
avec avaries, n. f., **particulières :** *with particular average, WPA.*
avertissement, n. m. **:** *warning.*
avion, n. m., **cargo :** *freight plane.*
avis, n. m. **:** *notice.*
avis, n. m., **de crédit :** *credit advice, crèdit note.*
avis, n. m., **de débit :** *debit advice.*
avis, n. m., **d'expédition :** *advice note.*
avis, n. m., **de versement :** *remittance advice.*

B

bâche, n. f. **:** *tarpaulin.*
bénéficiaire, n. m. **:** *payee.*
bidon, n. m. **:** *can.*
(en) blanc, loc. **:** *blank.*
boîte, n. f. **:** *box.*
boîte, n. f., **en fer** (blanc) **:** *tin.*
bon, n. m. **:** *voucher.*
bon, n. m., **de commande :** *order form.*

bon, n. m., **de livraison :** *delivery note.*
bonification, n. f. **:** *bonus.*
brevet, n. m. **:** *patent.*
breveté, adj. **:** *patented.*
brevet déposé : *patent pending.*
brochure, n. f. **:** *brochure.*

C

C.A.F., coût, assurance, fret : *C.I.F., cost, insurance, freight.*
caisse, n. f. **:** *case.*
caisse, n. f., **à claire-voie :** *crate.*
camion, n. m. **:** *lorry, truck* (US).
camion, n. m., **frigorifique :** *refrigerated lorry / truck.*
carnet, n. m. **de commande :** *order book.*
carte-réponse, n. f. **:** *business reply card.*
carton, n. m. **:** *cardboard box.*
cassé, adj. **:** *broken.*
chaîne, n. f., **de montage :** *assembly line.*
chantier, n. m. **:** *building site.*
charge, n. f., **de détail :** *part load.*
charge, n. f., **incomplète de container :** *less than container load.*
chargement, n. m. **:** *load, loading, shipment.*
chargement, n. m., **complet :** *full load.*
charger, v. tr. **:** *to load, to ship* (US).
charge, n. f., **utile :** *carrying capacity, useful load.*
chariot, n. m., **de manutention :** *fork lift truck.*
chemin, n. m., **de fer :** *railway.*
chiffre, n. m., **d'affaires :** *turnover.*
ci-joint, loc. **:** *herewith.*
circulation, n. f. **:** *traffic.*
clause, n. f. **:** *clause.*
client, n. m. **:** *customer, client.*
colis, n. m. **:** *package.*
commande, n. f. **:** *order.*
  passer commande : *to order.*

commander, v. tr. **:** *to order.*
commission (banque), n. f. **:** *commission.*
communication, n. f. **:** *message.*
(être en) communication avec... : *to be in contact with...*
communiquer, v. tr., un prix **:** *to quote a price.*
compenser, v. tr. **:** *to offset, to compensate for.*
complémentaire, adj. **:** *further.*
renseignements complémentaires : *further information.*
(pour le) **compte,** n. m., (de) **:** *on behalf of.*
compte, n. m., **à découvert :** *overdrawn account.*
concurrentiel, adj. **:** *competitive.*
conditionnement, n. m. **:** *packaging.*
conditionner, v. tr. **:** *to package ; to pack.*
conditions, n. f., **de vente :** *terms of sale.*
confirmer, v. tr. **:** *to confirm.*
connaissement, n. m. **:** *bill of lading.*
connaissement, n. m., **de transport combiné F.I.A.T.A. :** *F.I.A.T.A., Combined Transport Bill of Lading.*
connaissement, n. m., **direct :** *through bill of lading.*
consignataire, n. m. **:** *addressee, consignee.*
consignateur, n. m. **:** *sender, consignor.*
constat, n. m., **d'accident :** *accident report.*
conteneur, n. m. **:** *container.*
conteneur, n. m., **complet :** *full container load.*
contrat, n. m. **:** *contract.*
contre tous risques : *against all risks.*
contrôle, n. m., **de qualité :** *quality control.*
courtier, n. m., **en assurance :** *insurance broker.*
coût, n. m. **:** *cost.*
coût, assurance et fret : *cost, insurance and freight.*
C & F, coût et fret : *C & F, cost and freight.*
couverture, n. m. **:** *cover.*
créancier, n. m. **:** *creditor.*
créneau, n. m. **:** *niche, opening.*

D

DAU, document administratif unique : *SAD, Single Administrative Document.*
date, n. f., **limite :** *deadline.*
débarquer, v. tr. **:** *to unload, to land.*
débiteur, n. m. **:** *debtor.*
décharger, v. tr. **:** *to unload.*
déclaration, n. f., **de sinistre :** *notification of loss.*
déclaration, n. f., **en douane :** *customs entry form.*
dédouanement, n. m. **:** *customs clearance.*
défaut, n. m. **:** *defect.*
déguster, v. tr. **:** *to taste.*
délai, n. m., **de livraison :** *delivery deadline.*
délivrer, v. tr. **:** *to issue.*
demande, n. f., **de renseignements :** *enquiry.*
demande, n. f., **d'indemnité :** *insurance claim.*
départ, n. m., **usine :** *ex-works.*
dépliant, n. m. **:** *folder.*
(en) **dessous** (de), loc. adv. **:** *under, below.*
destinataire, n. m. **:** *addressee, consignee.*
à destination de..., loc. **:** *to..., going to...*
détail, n. m. **:** *retail.*
détaillant, n. m. **:** *retailer.*
devis, n. m. **:** *quote.*
devises, n. f. pl. **:** *foreign currency.*
directeur, n. m. **:** *manager.*
diriger, v. tr. **:** *to run, to manage.*
discuter, v. tr. **:** *to discuss.*
disponible, adj. **:** *available.*
tenir à **disposition,** n. f. **:** *to hold at disposal.*
dispositions, n. f. **:** *arrangements,*
prendre des dispositions : *to make arrangements.*
distributeur, n. m. **:** *authorized dealer.*
document, n. m. **:** *document.*
documentation, n. f. **:** *literature.*

documents, n. m., **contre acceptation :** *documentation against acceptance, D/A.*
documents, n. m., **contre paiement :** *documents against payment, D/P.*
domages, intérêts, n. m. pl. **:** *damages.*
droit, n. m. **:** *fee.*
droits, n. m., **de douane :** *customs dues.*
DTC, document, n. m., **de transport combiné :** *combined transport document, C.T.D.*

E

échantillon, n. m. **:** *sample.*
économies, n. f. pl. **:** *savings.*
efficace, adj. **:** *efficient.*
s'élever à, v. pr. **:** *to amount to.*
emballage, n. m. **:** *packing*
embarquement, n. m. **:** *shipment.*
empiler, v. tr. **:** *stack.*
encaisser, v. tr. **:** *to cash in.*
engagement, n. m. **:** *undertaking.*
sans engagement : *without obligation*
enlèvement, n. m., **et livraison :** *pickup and delivery.*
enlever, v. tr. **:** *to pick up, to collect.*
entreposage, n. m. **:** *storage, warehousing.*
entrepôt, n. m. **:** *warehouse.*
entreprise, n. f., **unipersonnelle :** *limited company with one director / owner.*
entretien, n. m. **:** *maintenance.*
envoi, n. m. **:** *consignment, shipment.*
envoyer, v. tr. **:** *to send, to despatch.*
escompte, n. m. **:** *discount.*
espace, n. m., **de chargement :** *loading space.*
espèces, n. f. pl. **:** *cash.*
estimation, n. f. **:** *appraisal.*
étanche, adj. **:** *waterproof.*
étiquetage, n. m. **:** *labelling.*
étiqueter, v. tr. **:** *to label.*

étude, n. f., **du marché :** *market research.*
excuses, n. f. pl. **:** *apologies.*
exemplaire, n. m. **:** *copy.*
exigible, adj. **:** *payable.*
ex navire, loc. **:** *ex ship.*
expédier, v. tr. **:** *to ship* (US), *to send, to despatch.*
expéditeur, n. m. **:** *sender, consignor.*
expédition, n. f. **:** *consignment, shipment.*
expédition, n. f., **partielle :** *part shipment.*
expert, n. m., **comptable :** *chartered accountant.*
exposant, n. m. **:** *exhibitor.*
exposition, n. f. **:** *exhibition* (GB), *exhibit* (US).

F

FAB, franco à bord : *free on board.*
facilités, n. f. pl., **de crédit :** *credit terms.*
facture, n. f. **:** *bill* (US), *invoice* (GB).
facturer, v. tr. **:** *to invoice* (GB), *to bill* (US).
faillite, n. f. **:** *liquidation.*
faire le nécessaire pour... : *to arrange for...*
faire payer, loc. **:** *to charge.*
F.A.P., franc d'avaries particulières : *F.P.A., free of particular average.*
fiable, adj. **:** *reliable.*
fiche, n. f., **technique :** *specifications.*
filiale, n. f. **:** *subsidiary.*
forfait, n. m. **:** *set price, all-in price.*
foire, n. f. **:** *fair, exhibition.*
fournir, v. tr. **:** *to supply.*
fournisseur, n. m. **:** *supplier.*
fournitures, n. f. pl. **:** *materials, furnishings.*
fourniture, n. f., **de... :** *supply of...*
frais, n. m. pl. **:** *expenses.*
 frais de déplacement : *travel expenses.*
 frais de transport : *transport charges.*
frais, n. m. pl., **dus :** *charges collect, cc.*
franco à bord, loc. **:** *free on board, F.O.B.*

franco de tous frais, loc. **:** *free of all charges.*
franco le long du navire, loc. **:** *free alongside ship, F.A.S.*
franco transporteur, loc. **:** *free carrier, FRC.*
franco wagon : *free on rail, FOR.*
fret, n. m., **aérien :** *air freight.*
fret, n. m., **de retour :** *return load.*
fret, n. m., **payable à destination :** *freight collect.*
fuite, n. f. **:** *leak.*
fût, n. m. **:** *drum.*

G

gamme, n. f., **de produits :** *range of products.*
garanti, adj. **:** *guarantee.*
garantie, n. f. **:** *warranty.*
gestion, n. f., **des stocks :** *stock control.*
global, adj. **:** *overall.*
gratuit, adj. **:** *free of charge, FOC.*
grossiste, n. m. **:** *wholesaler.*
groupage, n. m. **:** *groupage.*

H

habitude, n. f. **:** *custom, habit.*
  d'habitude : *usually.*
habituel, adj. **:** *usual.*
honoraire, n. m. **:** *fee.*
horaire, n. m., **de départ prévu :** *estimated time of departure, ETA.*

I

impayé, adj. **:** *unpaid.*
indemnité, n. f. **:** *compensation.*
indiquer, v. tr., **un prix :** *to quote a price.*
inhabituel, adj. **:** *unusual, less common.*

instructions, n. f. pl., **d'expédition :** *forwarding instructions.*
intérêt, n. m. **:** *interest.*

J

joindre, v. tr. **:** *to attach ; to contact.*

L

lancement, n. m., **d'un produit :** *product launch.*
lancer, v. tr. **:** *to launch, to bring out.*
lettre, n. f., **circulaire :** *a circular, a form letter* (US).
lettre, n. f., **de change :** *bill of exchange.*
lettre, n. f., **de couverture :** *covering letter.*
lettre, n. f., **de crédit :** *letter of credit.*
lettre, n. f., **de transport :** *waybill.*
lettre, n. f., **de voiture :** *consignment note.*
licence, n. f., **d'exportation / d'importation :** *export licence, import licence.*
ligne, n. f., **de produits :** *a product line.*
(être en) **ligne,** loc. **:** *to be engaged (on the telephone).*
livraison, n. f. **:** *delivery.*
livraison, n. f., **contre remboursement :** *cash on delivery, COD.*
livrer, v. tr. **:** *to deliver.*
locaux, n. m. pl. **:** *premises.*
logement, n. m. (hotel, etc.) **:** *accommodation.*
logiciel, n. m. **:** *software.*
LTA, lettre de transport aérien : *AWB, air waybill.*

M

m.a.b., mise, n. f., **à bord :** *loading on board ship.*
(en) **magasin :** *in stock.*
main d'œuvre, n. f. **:** *labour* (GB), *labor* (US).
maintenir, v. tr., **les marges :** *to maintain profit margins.*

majoration, n. f., **des prix :** *price increase.*
manutention, n. f. **:** *goods handling.*
marché, n. m. **:** *market.*
marché, n. m., **intérieur :** *domestic market.*
marge, n. f., **bénéficiaire :** *mark up, profit margin.*
marque, n. f., **déposée :** *registered trademark.*
matériel, n. m. (équipement) **:** *hardware.*
mise, n. f., **à terre, magasinage et livraison :** *loading, storage and delivery.*
mode, n. m., **de paiement :** *method of payment.*
modifier, v. tr. **:** *amend, change, modify.*
monnaie, n. f. **:** *currency.*
montant, n. m. **:** *amount.*

N

navire, n. m. **:** *vessel.*
négocier, v. tr. **:** *negotiate.*
N/réf., notre référence : *Our reference.*
nommer, v. tr. **:** *to appoint.*
notifier, v. tr. **:** *to notify.*
numéro, n. m., **de commande :** *order number.*
numéro, n. m., **vert :** *freephone, toll free.*

O

obligatoire, adj. **:** *compulsory.*
offre, n. f. **:** *offer.*
offre, n. f., **d'essai :** *trial offer.*
O.P.A., offre, n. f., **publique d'achat :** *takeover bid.*
opération, n. f. **:** *transaction.*
ordre, n. m., **d'achat :** *indent.*
organiser, v. tr. **:** *to arrange for.*
O.S., ouvrier, n. m., **spécialisé :** *semi-skilled worker.*

P

P.A.P., prêt, n. m., **à porter :** *ready to wear.*
paiement, n. m., **à tempérament :** *payment by installments.*
panne, n. f. **:** *breakdown.*
parc, n. m. **(de machines) :** *[collective term for a number of (machines)].*
parcourir, v. tr. (e.g. catalogue) **:** *to look through (e.g. a catalogue).*
passer commande : *to order.*
patienter, v. intr., (au téléphone) **:** *to hold.*
payer, v. tr. **:** *to pay.*
payer, v. tr., **comptant :** *to pay cash.*
P.C.C., pour copie conforme : *certified copy.*
p. cent, pour cent : *per cent.*
PCV : *collect, collect call* (US), *transferred charge call, reversed charge call* (GB).
Pdg, président-directeur général : *Chairman and Managing Director* (GB), *Chairman and President* (US).
péage, n. m. **:** *toll.*
permis, n. m., **de conduire :** *driving licence.*
perte, n. f. **:** *loss.*
P.J., pièce(s) jointe(s), : *Enc(s), enclosure(s).*
PLV, publicité sur le lieu de vente : *point of sale advertising* (GB), *point of purchase advertising* (US).
PME, petite ou moyenne entreprise : *SME, small or medium-sized enterprise.*
PMI, petite et moyenne industrie : *small and medium-sized industry.*
poids, n. m., **brut :** *gross weight.*
point, n. m., **de vente :** *sales outlet.*
police, n. f. **:** *policy.*
police, n. f., **d'assurance :** *insurance policy.*
police, n. f., **flottante :** *floating policy.*

police, n. f., **ouverte :** *open policy.*
police, n. f., **provisoire :** *cover note.*
port, n. m., **dû :** *carriage forward.*
port, n. m., **payé jusqu'à ... :** *carriage paid to...*
préavis, n. m. **:** *notice.*
précisions, n. f. pl. **:** *details, particulars.*
prendre, v. tr., **rendez-vous :** *to make an appointment.*
prime, n. f. **:** *bonus.*
prime, n. f. **(d'assurance) :** *(insurance) premium.*
(attestation de) **prise,** n. f., **en charge** (transport) **:** *certificate of receipt.*
prix, n. m., **d'achat :** *purchase price.*
prix, n. m., **de détail :** *retail price.*
prix, n. m., **de lancement :** *introductory price.*
prix, n. m., **de revient :** *cost price.*
prix, n. m., **forfaitaire :** *inclusive price.*
prix, n. m., **tout compris :** *all-in price.*
(en) **provenance de...,** loc. **:** *from..., going from...*
publicité, n. f. **:** *advertising.*

R

r., rue, n. f. **:** *street.*
rabais, n. m. **:** *discount.*
raison, n. f., **sociale :** *trade name.*
r.c., registre du commerce, : *registrar of companies, companies register.*
récépissé, n. m. **: n. m. :** *receipt.*
réclamation, n. f. **:** *complaint.*
réclame, n. f. **:** *advertisement.*
réclamer, v. tr. **:** *to complain.*
reçu, n. m. **:** *receipt.*
réduction, n. f. **:** *decrease, reduction.*
réduire, v. tr. **:** *to decrease.*
règlement, n. m. **:** *payment, settlement.*
règlement, n. m. **:** *regulations.*
remboursement, n. m. **:** *money back, refund.*
rembourser, v. tr. **:** *to refund.*

remettre, v. tr. **:** *to hand over.*
remise, n. f. **:** *rebate, discount.*
remorquer, v. tr. **:** *to tow.*
remplir, v. tr., **des conditions :** *to meet conditions, to meet requirements.*
rencontrer, v. tr. **:** *to meet.*
rendu droits acquittés, *delivered duty paid.*
rendu frontière : *delivered at frontier, DAF.*
renoncer, v. tr. **:** *to waive.*
renseignements, n. m. pl. **:** *information.*
rentabilité, n. f. **:** *profitability.*
rentable, adj. **:** *profitable.*
représentant, n. m. (de commerce) **:** *(sales) representative.*
responsabilité, n. f. **:** *liability.*
responsabilité, n. f. **civile des produits :** *product liability.*
retard, n. m. **:** *delay.*
(en) **retard :** *overdue, delayed.*
réunion, n. f. **:** *meeting.*
revue, n. f., **professionnelle :** *trade journal.*
ristourne, n. f. **:** *rebate.*
en (cours de) **route :** *in transit.*

S

S.A., société, n. f., **anonyme :** public limited company (GB), *corporation* (US).
S.A.R.L., société, n. f., **à responsabilité limitée :** *private limited company.*
salon, n. m. **:** *show, fair, exhibition.*
sauf stipulation contraire : *unless otherwise agreed.*
secteur, n. m., **de vente :** *sales territory.*
semi-remorque, n. m. **:** *articulated lorry.*
S.E.O., sauf erreur ou omission : *E + OE, errors and omissions excepted.*
service, n. m. **:** *department.*

S.G.D.G., sans garantie du gouvernement : *patent pending.*
S.I.C.A.V., société d'investissement à capital variable : *unit trust* (GB), *mutual fund* (US).
siège social : *registered (head) office.*
S.M.I.C., m., **Salaire Minimum Interprofessionnel de Croissance :** *legal minimum wage.*
solde, n. m. **:** *balance.*
solde, n. m., **dû :** *balance due.*
sous-traitance, n. f. **:** *subcontracting, outsourcing.*
stand, n. m. **:** *stand, stall.*
standardiste, n. f. **:** *(switchboard) operator.*
Sté, société, n. f. **:** *company, corporation.*
stock, n. m. **:** *inventory, stock.*
stockage, n. m. **:** *storage.*
stocker, v. tr. **:** *to store, to warehouse.*
succursale, n. f. **:** *branch.*
surcharge, n. f. **:** *overcharge.*
surcharge, n. f., **monétaire :** *currency adjustment charge, CAC, currency adjustment factor, CAF.*

T

t., tonne, n. f. **:** *ton.*
tarif, n. m. **:** *tariff.*
tarif, n. m., **marchandises :** *freight rate.*
taux, n. m. **:** *rate.*
taux, n. m., **de change :** *exchange rate.*
taux, n. m., **de fret :** *freight rate.*
taxe, n. f. **: fee, duty.**
télécopier, v. tr. **:** *to fax.*
T.I.R., Transport International Routier : *international road transport.*
T.O.M., territoire d'Outremer : *overseas territory.*
tomber, v. int., **en panne :** *to break down.*
tonneau, n. m. **:** *drum.*
T.P., travaux, n. m. pl., **publics :** *public works.*
traite, n. f. **:** *draft.*

traite à vue : *sight draft.*
transbordement, n. m. **:** *transhipment.*
transitaire, n. m. **:** *forwarding agent.*
transport, n. m. **:** *carriage.*
transport en vrac : *bulk transport.*
transporteur, n. m. **:** *carrier.*
transport, n. m., **intérieur :** *domestic transport.*
transport, n. m., **routier :** *road transport.*
TTC, toutes taxes comprises : *all taxes included, inclusive.*
tt cft, tout confort : *all mod. cons.*
TVA, taxe, n. f., **à la valeur ajoutée :** *VAT, value added tax.*

U

usager, n. m. **:** *user.*
usine, n. f. **:** *factory, plant.*

V

valeur, n. f. **:** *value.*
vendeur, n. m. **:** *seller.*
vendre, v. tr. **:** *to sell.*
vendre, v. tr., **au détail :** *to retail.*
vente, n. f. **:** *sale.*
virement, n. m., **bancaire :** *bank transfer.*
vol, n. m., **commercial :** *cargo flight.*
volé, adj. **:** *stolen.*
VPC, vente, n. f., **par correspondance :** *mail order selling.*
(en) **vrac :** *loose.*
V./Réf., votre référence : *Your Reference.*
V.R.P., masc., **voyageur, représentant, placier :** *commercial traveller, representative, traveller.*

Achevé d'imprimer en août 1990
sur les presses de Cox and Wyman Ltd
(Angleterre)

Cet ouvrage a été composé par
TÉLÉ-COMPO – 61290 BIZOU

Dépôt légal : septembre 1990
Imprimé en Angleterre